A Morada da Alma

Gary Zukav

A Morada da Alma

Tradução
ANTONIO DANESI

EDITORA CULTRIX
São Paulo

Título do original:
The Seat of The Soul

Edição	Ano
1-2-3-4-5-6-7-8-9-10	92-93-94-95-96-97

Direitos de tradução para o Brasil
adquiridos com exclusividade pela
EDITORA CULTRIX LTDA.
Rua Dr. Mário Vicente, 374 – 04270-000 – São Paulo, SP – Fone: 272-1399
que se reserva a propriedade literária desta tradução.

Impresso em nossas oficinas gráficas.

Este livro é dedicado aos meus pais,
Morris L. Zukav e Lorene Zukav, com
amor, respeito e gratidão.

O afetuoso apoio e as muitas contribuições de Caroline Myss permeiam todas estas páginas.

Sumário

Prefácio

Ao tempo em que escrevia *The Dancing Wu Li Masters* e posteriormente, fui constantemente atraído pelos trabalhos de William James, Carl Jung, Benjamin Lee Whorf, Niels Bohr e Albert Einstein, aos quais retornava repetidas vezes. Eu encontrava neles algo especial, embora só mais tarde tenha compreendido esta peculiaridade: esses companheiros de jornada procuravam alcançar algo maior do que aquilo que eram capazes de expressar diretamente através de sua obra. Viam mais do que lhes era dado exprimir pela linguagem da psicologia, da lingüística ou da física, e buscavam compartilhar o que viam. O que me atraiu para eles foi precisamente aquilo que tentavam compartir por meio de seus trabalhos.

Eram místicos. Essa é a minha palavra. Não usavam a minha linguagem, mas conheciam-na. Temiam ver suas carreiras contaminadas pela associação com os que não trabalhavam dentro do modelo científico, mas sabiam muito bem, nas profundezas de seus pensamentos, que estavam limitados pelos cinco sentidos, enquanto aqueles não o estavam. Suas obras contribuem não apenas para a evolução da psicologia, da lingüística e da física como também para a evolução de quantos as lêem. Têm a capacidade de mudar os que entram em contato com eles de maneira que também não podem ser expressas diretamente nos termos da psicologia, da lingüística ou da física.

À medida que ia compreendendo, em retrospecto, a qualidade magnética de que essas obras se revestiam, mais me apercebia de que esses homens não eram movidos nem por recompensas terrenas nem pelo respeito dos colegas, mas simplesmente punham suas almas e suas mentes em contato com algo e atingiam aquela extraordinária região em que a mente já não podia produzir dados do tipo que desejavam. Encontravam-se naquele território da inspiração em que suas intuições se intensificavam e onde lhes era revelada a existência de algo que transcende o reino do tempo, do espaço e da matéria, algo além da vida física. Eles sabiam disso. Não eram necessariamente capazes de articular esse conhecimento com clareza, visto não estarem equipados para discorrer a respeito dessas coisas; mas sentiam-nas, e seus escritos as refletiam.

Em outras palavras, compreendi que o que motivava esses homens, e muitos outros, era, na verdade, algo da grande visão que transcende as limitações da personalidade. Cada um de nós está sendo atraído, de uma ou de outra maneira, para a mesma visão. Ela é mais que uma visão. É uma força que emerge. É o próximo passo na nossa jornada evolucionária. A humanidade, a espécie humana, anseia hoje por entrar em contato com essa força, por libertar-se daquilo que impede esse contato. Grande parte da dificuldade em concretizá-lo está no fato de que o vocabulário capaz de exprimir essa nova força, que em verdade é a força eterna, ainda não nasceu.

Neste momento e nesta hora da evolução humana, esse vocabulário capaz de expressar aquilo que transcende a religiosidade e a espiritualidade e assume a posição de autêntico poder está forcejando por nascer. Precisamos dar àquilo que, como espécie, agora estamos atingindo conscientemente pela primeira vez um vocabulário desanuviado, de modo que possa ser claramente identificado nos atos e nos julgamentos da raça humana, a fim de ser visto com clareza, não através dos véus do mistério ou do misticismo, mas simplesmente como o autêntico poder que move os campos de força desta nossa Terra. Espero que este livro contribua para isso.

Para referir-me ao que somos e ao que nos estamos tornando, empreguei os termos pentassensorial e multissensorial. Multissensorial não é melhor que pentassensorial. É, simplesmente, mais adequado em nossos dias. À medida que um sistema da experiência humana declina e outro, mais avançado, emerge, o sistema mais velho pode parecer, comparativamente, inferior; mas, da perspectiva do Universo, a linguagem comparativa não é a linguagem do pior ou do melhor, e sim a da limitação e da oportunidade.

As experiências do ser humano multissensorial são menos limitadas que as da humanidade pentassensorial. Elas proporcionam mais oportunidades de crescimento e desenvolvimento e também mais oportunidades para evitar dificuldades desnecessárias. Contrastei as experiências do ser humano pentassensorial com as experiências do ser humano multissensorial em cada caso específico a fim de tornar suas diferenças tão claras quanto possível, mas isso não significa que a fase pentassensorial da nossa evolução, a fase da qual estamos emergindo, seja negativa em comparação com a fase da nossa evolução na qual estamos entrando, a fase multissensorial. Ela, simplesmente, já não é apropriada, da mesma forma que num dado momento o uso de velas deixou de ser apropriado em razão da eletricidade, mas o advento da eletricidade não tornou negativo o poder das velas.

Quem dentre nós é perito em experiência humana? Temos apenas o dom de partilhar percepções que esperamos possam ajudar nossos companheiros de jornada. Não existe isso de perito em experiência humana. A experiência humana é uma experiência em movimento, pensamento e forma e, em certos casos, um experimento em movimento, pensamento e forma. O máximo que podemos fazer é tecer comentários a respeito do movimento, do pensamento e da forma, mas tais comentários serão de grande valia se puderem ajudar as pessoas no processo de aprender a mover-se graciosamente, a pensar com clareza, a moldar – como os artistas – a matéria de suas vidas.

Vivemos um tempo de profunda mudança. Passaremos por essa mudança mais facilmente se formos capazes de ver a estrada pela qual estamos viajando, o nosso destino e o que é que está em movimento. Ofereço o que se encontra neste livro como uma janela através da qual me foi dado contemplar a vida. Ofereço essa janela a você, mas não digo que seja necessário aceitá-la. Muitos são os caminhos que conduzem à sabedoria e ao coração. Essa é a nossa maior riqueza, e a que mais alegria me proporciona.

Temos muita coisa a fazer juntos.

Façamo-la imbuídos de sabedoria, amor e júbilo.

Façamos disso a experiência humana.

Gary Zukav

Introdução

1

Evolução

A evolução que nos ensinaram na escola é a evolução da forma física. Aprendemos, por exemplo, que as criaturas unicelulares dos oceanos são os predecessores de todas as formas de vida mais complexas. Um peixe é mais complexo e, portanto, mais evoluído que uma esponja; um cavalo é mais complexo e, portanto, mais evoluído que uma cobra; um macaco é mais complexo e, portanto, mais evoluído que um cavalo, e assim por diante, até chegarmos aos seres humanos, que são as mais complexas e, portanto, mais evoluídas formas de Vida de nosso planeta. Aprendemos, em outras palavras, que evolução significa o progressivo desenvolvimento de complexidade organizacional.

Essa definição é uma expressão da idéia de que o organismo mais capaz de controlar tanto o seu ambiente como todos os demais organismos desse mesmo ambiente é o mais evoluído. "Sobrevivência do mais apto" significa que o organismo mais evoluído num dado ambiente é o organismo que se acha no topo da cadeia alimentar nesse ambiente. Segundo essa definição, portanto, o organismo mais capaz de assegurar sua própria sobrevivência, mais capaz de garantir sua autopreservação, é o mais evoluído.

Sabemos de há muito que essa definição é inadequada, mas não sabemos por quê. Quando dois seres humanos se comprometem mutuamente, são, em termos de complexidade organizacional, igualmente evoluídos. Se ambos têm a mesma inteligência, ainda que um seja tacanho, mesquinho e egoísta, enquanto o outro é magnânimo e altruísta, dizemos que este último é o mais evoluído. Se um ser humano sacrifica sua vida para salvar outro, usando, por exemplo, seu próprio corpo para proteger o outro de uma bala inadvertida ou de um carro em alta velocidade, dizemos que o ser humano que sacrificou sua vida é, na verdade, um dos mais evoluídos dentre nós. Sabemos que essas coisas são verdadeiras, mas elas variam conforme o nosso entendimento da evolução.

Dizem-nos que Jesus anteviu o conluio tramado contra a Sua vida, inclusive os detalhes de como Seus discípulos iriam agir e reagir, e, no entanto, não fugiu daquilo que anteviu. O conjunto da humanidade foi inexoravelmente moldado pelo poder e amor d'Aquele que *deu Sua vida* por nós. Todos os que O reverenciam, e quase todos os que apenas conhecem a Sua história, concordam em ter sido Ele um dos seres mais evoluídos da nossa espécie.

Nossa compreensão mais profunda nos diz que o ser realmente evoluído é aquele que se preocupa mais com os outros do que consigo mesmo e dá mais importância ao amor do que ao mundo físico e ao que nele existe. Devemos agora adequar a nossa compreensão da evolução a essa compreensão mais profunda. É importante fazê-lo, porque nossa compreensão atual da evolução reflete a fase evolutiva da qual estamos saindo. Pelo exame dessa compreensão, podemos perceber como evoluímos até agora e o que estamos deixando para trás. Refletindo sobre uma nova e mais vasta compreensão da evolução, aquela que corrobora nossas verdades mais profundas, podemos ver para onde estamos evoluindo e o que isso significa em termos do que vivenciamos, do que valorizamos e do modo como agimos.

Nossa compreensão atual da evolução decorre do fato de termos evoluído até agora pela exploração da realidade física com os nossos cinco sentidos. Temos sido, até agora, seres humanos pentassensoriais. Esse caminho da evolução permitiu-nos ver os princípios básicos do Universo de maneira concreta. Vemos, através de nossos cinco sentidos, que toda ação constitui uma causa que tem um efeito e que todo efeito tem uma causa. Vemos os resultados das nossas intenções. Vemos que o ódio mata: ele tira o alento – a Força Vital – e derrama o sangue – o transportador da vitalidade. Vemos que a bondade alimenta. Vemos e sentimos os efeitos de uma palavra ríspida e de um sorriso.

Percebemos a nossa capacidade de processar o conhecimento. Vemos, por exemplo, que um cajado é um instrumento e vemos os efeitos do modo como resolvemos usá-lo. O cajado que mata uma cobra pode conduzi-la a um abrigo. A lança que tira uma vida pode ser usada como alavanca para aliviar os fardos da vida. A faca que corta a carne pode ser usada para cortar pano. As mãos que constroem bombas podem ser usadas para construir escolas. As mentes que coordenam as atividades da violência podem coordenar as atividades da cooperação.

Vemos que quando as atividades da vida estão imbuídas de reverência elas se enchem de significado e propósito. Vemos que quando a reverência está ausente das atividades da vida o resultado é a crueldade, a violência e a solidão. A arena física é um ambiente magnífico de aprendizagem. É uma escola na qual, pela experimentação, chegamos a compreender o que nos leva a expandir-nos e o que nos leva a contrair-nos, o que nos permite crescer e o que nos leva a encolher-nos, o que alimenta nossas almas e o que as exaure, o que funciona e o que não funciona.

Quando o meio físico é percebido apenas do ponto de vista pentassensorial, a sobrevivência física parece ser o critério fundamental da evolução porque nenhum outro tipo de evolução é perceptível. É desse ponto de vista que a "sobrevivência do mais apto" parece ser sinônimo de evolução e a dominação física parece caracterizar a evolução avançada.

Quando a percepção do mundo físico está limitada à modalidade pentassensorial, a base da vida na arena física passa a ser o medo. O poder de controlar o ambiente e os seres que nele se encontram afigura-se essencial.

A necessidade de dominação física produz um tipo de competição que afeta todos os aspectos de nossas vidas. Afeta o relacionamento entre os amantes e entre as superpotências, entre os parentes e entre as raças, entre as classes e entre os sexos. Rompe a tendência natural à harmonia entre as nações e entre os amigos. A mesma energia que enviou navios de guerra ao Golfo Pérsico enviou soldados ao Vietnã e cruzados à Palestina. A energia que separou a família de Romeu da de Julieta é a mesma energia que separa a família racial do marido negro da família racial da esposa branca. A energia que coloca Lee Harvey Oswald contra John Kennedy é a mesma energia que pôs Caim contra Abel. Irmãos e irmãs brigam pelo mesmo motivo que leva as corporações a brigar – a busca do poder de uns sobre os outros.

O poder de controlar o ambiente e os seres que nele se encontram é o poder sobre o que pode ser tocado, cheirado, saboreado, ouvido ou visto. Esse tipo de poder é o poder exterior. O poder exterior pode ser adquirido ou perdido, como na Bolsa de Valores ou numa eleição. Pode ser comprado ou roubado, transferido ou herdado. É visto como uma coisa que pode ser obtida de alguém ou de algum lugar. A aquisição de poder exterior por uma pessoa é percebida como perda por outra pessoa. O resultado de se encarar o poder como algo exterior é a violência e a destruição. Todas as nossas instituições – sociais, econômicas e políticas – refletem a nossa compreensão do poder como algo exterior.

As famílias, como as culturas, são patriarcais ou matriarcais. Alguém sempre "canta de galo". As crianças aprendem isso desde cedo, e isso lhes molda as vidas.

Os departamentos de polícia, como os militares, são produzidos pela percepção do poder como algo exterior. Insígnias, botas, hierarquia, rádio, uniforme, armas e armaduras são símbolos do medo. Quem os usa sente medo, teme enfrentar o mundo sem defesas. Quem se depara com esses símbolos sente medo, teme o poder que esses símbolos representam, ou teme aqueles que dispõem desse poder, ou ambos. A polícia e os militares, como as famílias e as culturas patriarcais e matriarcais, não são a origem da percepção do poder como algo exterior. São reflexos da maneira pela qual, como espécie e como indivíduos, encaramos o poder.

A percepção do poder como algo exterior moldou nossa economia. A capacidade de controlar a economia nas comunidades e nas nações, assim como a capacidade de controlar a economia transnacional do mundo, está concentrada nas mãos de poucas pessoas. Para proteger os trabalhadores de tais pessoas, criamos os sindicatos. Para proteger os consumidores, criamos burocracias no governo. Para proteger o pobre, criamos os sistemas de previdência social. Isso é um perfeito reflexo da maneira pela qual percebemos o poder – como o domínio de poucos, enquanto a maioria lhe serve de vítima.

O dinheiro é um símbolo do poder exterior. Os que têm mais dinheiro têm mais capacidade de controlar seu ambiente e os seres que nele se encontram, enquanto os que têm menos dinheiro têm menos capacidade de controlar seu ambiente e os seres que nele se encontram. O dinheiro é adquirido, perdido, roubado, herdado, e por ele se luta. Educação, condição social, fama e coisas que se possuem – se obtemos deles uma consciência de maior segurança, são símbolos do poder exterior. Tudo quanto tememos perder – uma casa, um carro, um corpo atraente, uma mente ágil, uma crença profunda – é um símbolo do poder exterior. O que tememos aumenta nossa vulnerabilidade. Isso resulta de vermos o poder como algo exterior.

Quando o poder é visto como algo exterior, as hierarquias de nossas estruturas sociais, econômicas e políticas, assim como as hierarquias do Universo, surgem como indicadores de quem tem poder e de quem não o tem. Os que estão em cima parecem ter o maior poder e, portanto, ser os mais valiosos e os menos vulneráveis. Os que estão embaixo parecem ser os menos poderosos e, portanto, os menos valiosos e os mais vulneráveis. Deste ponto de vista, o geral é mais valioso que o particular, o executivo é mais valioso que o motorista, o médico é mais valioso que a recepcionista, o pai é mais valioso que o filho, e a Divindade é mais valiosa que o adorador. Tememos transgredir as leis de nossos pais, de nossos chefes, de nosso Deus. Toda percepção de menor ou maior valor pessoal resulta da percepção do poder como algo exterior.

A competição pelo poder exterior está no cerne de toda violência. O lucro secundário que está por trás dos conflitos ideológicos, como capitalismo *versus* comunismo, dos conflitos religiosos, como católico irlandês *versus* protestante irlandês, dos conflitos geográficos, como judeus *versus* árabes, e dos conflitos familiares e conjugais, é o poder exterior.

A percepção do poder como algo exterior fragmenta a psique, quer seja a psique do indivíduo, da comunidade, da nação ou do mundo. Não há diferença entre a esquizofrenia aguda e um mundo em guerra. Não há diferença entre a agonia de uma alma fragmentada e a agonia de uma nação fragmentada. Quando o marido e a esposa competem pelo poder, põem em ação a mesma dinâmica que os seres humanos de uma raça desencadeiam quando temem os seres humanos de outra raça.

A partir dessas dinâmicas, formamos nossa atual compreensão da evolução como um processo de crescente capacidade de dominar o ambiente e os outros seres humanos. Essa definição reflete as limitações de se perceber o mundo físico apenas com os cinco sentidos. Reflete a competição pelo poder exterior, gerada pelo medo.

Depois de milênios de brutalidade de pessoa a pessoa e de grupo contra grupo, tornou-se claro que a insegurança que está por trás da percepção do poder como algo exterior não pode ser curada pela acumulação de poder exterior. Todos nós podemos ver, não só em cada noticiário ou jornal, mas também através de cada um de nossos incontáveis sofrimentos individuais e como espécie, que a percepção do poder como algo exterior só produz dor, violência e destruição. Eis como evoluímos até agora, eis o que estamos deixando para trás.

Nossa compreensão mais profunda nos leva a um outro tipo de poder, um poder que ama a vida seja qual for a forma em que ela se manifeste, um poder que não julga, um poder que descortina significado e propósito nos mais ínfimos detalhes com que se depara sobre a face da Terra. Esse é um poder autêntico. Quando alinhamos nosso pensamento, emoção e ação com a parte mais elevada de nós mesmos, enchemo-nos de entusiasmo, propósito e significado. A vida é rica e plena. Não temos pensamentos de amargura. Não temos memória do medo. Estamos alegre e intimamente comprometidos com o nosso mundo. Essa é a experiência do poder autêntico.

O poder autêntico finca suas raízes na fonte mais profunda do nosso ser. O poder autêntico não pode ser comprado, herdado ou açambarcado. A pessoa autenticamente dotada de poder é incapaz de tornar alguém ou alguma coisa uma vítima. A pessoa autenticamente dotada de poder é tão forte, tão vigorosa, que a idéia de usar a força contra outrem não faz parte de sua consciência.

Nenhuma compreensão da evolução será adequada se não tiver em seu âmago a consciência de que estamos numa viagem rumo ao poder autêntico e de que este constitui a meta do nosso processo evolucionário e o propósito do nosso ser. Estamos evoluindo de uma espécie que busca o poder exterior para outra que busca o poder autêntico. Estamos deixando para trás a exploração do mundo físico como único meio de evolução. Esse meio de evolução, e a consciência que resulta de uma percepção limitada à modalidade pentassensorial, já não são adequados àquilo em que haveremos de converter-nos.

Estamos evoluindo de seres humanos pentassensoriais para seres humanos multissensoriais. Nossos cinco sentidos, juntos, formam um sistema sensorial único destinado a perceber a realidade física. As percepções do sistema multissensorial se estendem além da realidade física para abarcar sistemas dinâmicos mais amplos, dos quais nossa realidade física constitui uma parte. O ser humano multissensorial é capaz de perceber e de avaliar o papel que nossa realidade física desempenha num quadro de evolução mais amplo e a dinâmica pela qual nossa realidade física é criada e mantida. Esse reino é invisível para o ser humano pentassensorial.

É nesse reino invisível que se encontram as origens de nossos valores mais profundos. Da perspectiva desse reino invisível, as motivações daqueles que sacrificam conscientemente suas vidas em prol de objetivos mais elevados fazem sentido, o poder de Gandhi é explicável e os atos compassivos de Cristo são compreensíveis numa plenitude inacessível ao ser humano pentassensorial.

Todos os nossos grandes mestres foram, ou são, seres multissensoriais. Eles falaram e agiram de acordo com percepções e valores que refletem a perspectiva mais ampla do ser multissensorial e, por conseguinte, suas palavras e ações despertam em nós o reconhecimento de verdades.

Da perspectiva do ser humano pentassensorial, estamos sós num universo físico. Da perspectiva do ser humano multissensorial, nunca estamos sós, e o universo é vivo, consciente, inteligente e compassivo. Da perspectiva do ser humano pentassensorial, o mundo físico é um dado inexplicável no qual nos encontramos inexplicavelmente e nos empenhamos em dominá-lo para poder sobreviver. Da perspectiva do ser humano multissensorial, o mundo físico é um lugar de aprendizagem criado conjuntamente pelas almas que o compartilham, e tudo o que nele ocorre lhes serve de lição. Da perspectiva do ser humano pentassensorial, as intenções não têm efeito algum nem todas as ações afetam a nós ou aos outros. Da perspectiva do ser humano multissensorial, a intenção subjacente a uma ação lhe determina os efeitos, toda intenção afeta tanto a nós quanto aos outros e os efeitos das intenções se estendem muito além do mundo físico.

Que significa dizer que existe um reino "invisível" onde se encontram as origens das nossas compreensões mais profundas? Quais as implicações de se considerar a existência de um reino que não é percebido através dos cinco sentidos, mas que pode ser conhecido, explorado e compreendido por meio de outras faculdades humanas?

Quando se faz uma pergunta que não pode ser respondida dentro do quadro de referência comum, pode-se classificá-la como não-sensorial ou descartá-la como inadequada, ou a pessoa que a faz pode expandir sua consciência para abranger o quadro de referência do qual pode vir a resposta. As duas primeiras opções são os meios mais cômodos de confrontar-se com uma pergunta dessa natureza, mas o investigador, o verdadeiro cientista se permitirá expandir-se num quadro de referência que lhe permitirá compreender as respostas que procura.

Enquanto espécie, desde que nos capacitamos a formular perguntas, vimos fazendo as seguintes: "Deus existe?", "Existe uma Inteligência Divina?", "A vida tem uma finalidade?" Chegou a hora de expandir-nos num quadro de referência que nos permita conhecer as respostas a essas perguntas.

O quadro de referência mais amplo do ser humano multissensorial possibilita a compreensão da diferença experimentalmente significativa entre a personalidade e a alma. A personalidade é aquela parte do nosso ser que nasceu, vive e morrerá dentro dos limites do tempo. Ser um ente humano e ter uma personalidade vêm a ser a mesma coisa. Nossa personalidade, como o nosso corpo, é o veículo da nossa evolução.

As decisões que tomamos e as ações que praticamos sobre a Terra são os meios pelos quais evoluímos. A todo o momento escolhemos as intenções que irão moldar as nossas experiências e as coisas nas quais concentraremos a nossa atenção. Isso se aplica a cada pessoa. Se escolhermos inconscientemente, evoluiremos inconscientemente. Se escolhermos conscientemente, evoluiremos conscientemente.

As emoções de medo e violência que passaram a caracterizar a existência humana só podem ser sentidas pela personalidade. Só a personalidade pode sentir raiva, medo, ódio, desejo de vingança, desgosto, vergonha, pesar, indiferença, frustração, cinismo e solidão. Só a personalidade pode julgar, manipular e explorar. Só a personalidade pode buscar o poder exterior. A personalidade pode também ser afetuosa, compassiva e sábia em suas relações com os outros, mas o amor, a compaixão e a sabedoria não procedem da personalidade. São experiências da alma.

Sua alma é aquela parte de você que é imortal. Toda pessoa tem uma alma, mas uma personalidade que, na sua percepção, está limitada aos cinco sentidos não está cônscia da sua alma e, por isso, não pode reconhecer as influências da sua alma. À medida que uma personalidade se torna multissensorial, suas intuições – suas premonições e sentimentos sutis – tornam-se importantes. Ela percebe coisas sobre si mesma, sobre outras pessoas e as situações em que se encontra as quais não pode justificar com base nas informações fornecidas por seus cinco sentidos. Começa a reconhecer as intenções e responde a elas, ao invés de responder às ações e palavras com que se depara. Pode reconhecer, por exemplo, um coração afetuoso por trás de maneiras desabridas e coléricas, e um coração insensível por trás de maneiras polidas e agradáveis.

Quando uma personalidade multissensorial perscruta o seu íntimo, encontra uma infinidade de correntes diferentes. Pela experiência, aprende a distinguir entre essas correntes e a identificar os efeitos emocionais, psicológicos e físicos de cada uma delas. Aprende, por exemplo, que correntes produzem a raiva, os pensamentos separativos e as ações destrutivas, e que correntes produzem o amor, os pensamentos sadios e as ações construtivas. Com o tempo, aprende a valorizar e a identificar as correntes que geram criatividade, cura e amor, e a desafiar e liberar as correntes que criam negatividade, desarmonia e violência. Desse modo, a personalidade pode sentir a energia de sua alma.

Sua alma não é uma entidade passiva ou teórica que ocupa um espaço nas imediações de sua cavidade torácica. É uma força positiva e ativa no âmago de seu ser. É aquela parte de você que compreende a natureza impessoal da dinâmica de energia na qual você está envolvido, que ama sem restrição e aceita sem julgamento.

Se você deseja conhecer a sua alma, o primeiro passo é reconhecer que tem uma alma. O passo seguinte é fazer a si mesmo estas perguntas: "Se tenho uma alma, o que *é* a minha alma? O que quer a minha alma? Qual a relação entre mim e a minha alma? Como minha alma afeta a minha vida?"

Quando a energia da alma é reconhecida, sentida e valorizada, ela começa a impregnar a vida da personalidade. Quando a personalidade aprende a servir plenamente a energia da sua alma, vê-se imbuída do poder autêntico. Essa é a meta do processo evolutivo em que estamos envolvidos, e a razão do nosso ser. Toda experiência que você tem ou terá na Terra estimula o alinhamento de sua personalidade com a alma. Toda circunstância, toda situação lhe dá a oportunidade de escolher esse caminho, de permitir que sua alma resplandeça através de você e infunda no mundo físico, através de você, sua infinita e insondável reverência e amor pela Vida.

Este é um livro sobre a aquisição do poder autêntico – a sintonização da personalidade com a alma – o que isso implica, como acontece e o que cria. Para entender essas coisas, é necessária uma compreensão de coisas que parecem invulgares para o ser humano pentassensorial, mas se tornam naturais quando compreendemos a evolução, ou seja, quando compreendemos que a percepção pentassensorial é uma viagem que conduz à percepção multissensorial e que não estamos fadados a permanecer pentassensoriais.

2

Carma

Quase todos nós estamos acostumados à crença de que nossa participação no processo evolutivo se circunscreve à duração de uma única vida. Essa crença reflete a perspectiva da personalidade pentassensorial. Do ponto de vista da personalidade pentassensorial, nada do que a compõe dura mais de uma vida, e nada existe na experiência do ser humano pentassensorial que não pertença à personalidade. O ser humano multissensorial também compreende que nada do que compõe a personalidade dura mais de uma vida, mas está, ao mesmo tempo, cônscio de sua alma imortal.

A vida de nossa personalidade é uma das múltiplas experiências de nossa alma. A alma existe fora do tempo. A perspectiva da alma é imensa, e a percepção da alma vai muito além das limitações da personalidade. As almas que escolheram a experiência física da vida, tal como a conhecemos, como uma trajetória de evolução, encarnaram, em geral, suas energias várias vezes em diversas formas psicológicas e físicas. Para cada encarnação a alma cria uma personalidade e um corpo diferente. A personalidade e o corpo, que para o ser humano pentassensorial constituem a totalidade empírica de sua existência, são para a alma os instrumentos únicos e perfeitamente adequados de uma encarnação específica.

Cada personalidade, à sua maneira especial, com suas próprias aptidões e lições especiais a aprender, contribui, conscientemente ou inconscientemente, para a evolução da sua alma. A vida de uma mãe, de um guerreiro, de uma filha, de um sacerdote; as experiências do amor, da vulnerabilidade, do medo, da perda e da ternura; as lutas com a cólera, a desconfiança, o vazio e o ciúme – tudo serve à evolução da alma. Cada característica física, emocional e psicológica que compõe uma personalidade e o seu corpo – braços fortes ou fracos, intelecto denso ou penetrante, disposição feliz ou desesperada, pele amarela ou negra, e mesmo a cor dos cabelos ou dos olhos – é perfeitamente adequada ao propósito da sua alma.

A personalidade pentassensorial não tem conhecimento das várias outras encarnações da sua alma. Uma personalidade multissensorial pode estar consciente dessas encarnações, ou experimenta-as como seu próprio passado ou vidas futuras. Elas estão em sua família de vidas, por assim dizer, mas não são vidas que ela própria viveu. São experiências da sua alma.

Do ponto de vista da alma, todas as suas encarnações são simultâneas, todas as suas personalidades existem a um só tempo. Desse modo, a liberação da negatividade que ocorre em uma das encarnações da alma beneficia não só a ela própria como também a todas as suas demais encarnações. Como a alma não está confinada no tempo, o passado da personalidade, assim como o seu futuro, é favorecido quando a personalidade libera correntes de medo e dúvida. Como veremos adiante, a liberação da negatividade por uma personalidade beneficia também muitas outras dinâmicas da consciência. Algumas delas podem ser percebidas pelo ser humano pentassensorial, mas não lhe aparecem nem como dinâmicas da consciência nem como algo relacionado com seus processos interiores, tais como a consciência e a evolução de seu sexo, raça, nação e cultura. Outras estendem-se muito além da capacidade de percepção do ser humano pentassensorial. Uma vida consciente constitui, pois, um tesouro de valor inestimável.

A personalidade e seu corpo são aspectos da alma. Uma vez cumpridas suas funções, ao final da encarnação da alma, esta os libera. Eles chegam ao fim, mas a alma não. Depois de encarnar, a alma retorna ao seu estado imortal e atemporal. Retorna uma vez mais ao seu estado natural de compaixão, lucidez e amor ilimitado.

Este é o contexto em que se dá nossa evolução: a contínua encarnação e reencarnação da energia da alma na arena física, nossa escola terrestre.

Por que isso acontece? Por que a necessidade de falar de personalidades e almas?

A encarnação da alma é uma redução maciça do seu poder

a uma escala apropriada a uma forma física. É a redução de um sistema de Vida imortal ao contexto do tempo e ao lapso de alguns anos. É a redução de um sistema perceptual que participa simultaneamente, pela experiência direta, de vidas incontáveis, algumas delas físicas, outras não-físicas, aos cinco sentidos físicos. A alma escolhe voluntariamente empreender essa experiência a fim de curar-se.

A personalidade é constituída pelas partes da alma que necessitam de cura, junto com aquelas outras partes, como a compaixão e o amor, que a alma emprestou ao processo de cura nessa vida. Os aspectos fragmentados da alma, os aspectos que necessitam de cura, precisam interagir na matéria física para que cada parte dos fragmentos possa tornar-se um todo. A personalidade é como uma complexa mandala formada por essas partes fragmentadas, acrescentadas às partes que não o são. Ela procede diretamente das partes da alma que a alma resolveu trabalhar nesta vida para curar-se, que precisam passar pela matéria física, e das partes que a alma emprestou ao processo de cura em que você está envolvido. Portanto, você pode ver no interior da personalidade de uma pessoa o sofrimento fragmentado da alma do qual aquela é formada, assim como a graça alcançada pela alma, que é a parte amorosa da personalidade.

Considere quão poderosa será a alma se puder ter uma parte de si mesma que sente grande amor, uma parte de si mesma que sente medos, uma parte que talvez seja neutra, uma parte que experimenta a esquizofrenia e uma parte que é drasticamente compassiva. Se alguma dessas partes for incompleta, a personalidade que a alma forma estará em desarmonia. A personalidade harmoniosa é aquela em que a alma flui facilmente através da parte de si mesma que está em contato com sua encarnação física.

A alma é. Ela não tem começo nem fim, mas flui em direção à totalidade. A personalidade emerge como uma força natural da alma. É um instrumento de energia que a alma adapta para funcionar no mundo físico. Cada personalidade é única, porque a configuração de energia da alma que a formou é única. É a *persona* da alma, por assim dizer, que interage com a matéria física. É um produto formado a partir do aspecto vibratório do nosso nome, do aspecto vibratório do nosso relacionamento com os planetas ao tempo da nossa encarnação e dos aspectos vibratórios do nosso ambiente energético, bem como a partir dos aspectos fragmentados da nossa alma que precisam interagir na matéria física a fim de alcançar a totalidade.

A personalidade não opera independentemente da alma. Na medida em que a pessoa está em contato com as profundezas espirituais, a personalidade é aquietada, porque a energia da consciência é concentrada em seu âmago energético, e não em sua fachada artificial, que é a personalidade.

Às vezes a personalidade surge como uma força desenfreada, sem nenhuma relação com a energia de sua alma. Essa situação pode ser a origem do que chamamos um ser humano perverso, e pode estar na origem de um ser humano esquizofrênico. É o resultado da incapacidade da personalidade de encontrar seu ponto de referência ou de conexão com sua mãe, a alma. Os conflitos de uma vida humana são diretamente proporcionais a distância a que uma energia da personalidade existe separadamente da alma e, portanto, como veremos, numa posição de criação irresponsável. Quando a personalidade se acha em pleno equilíbrio, não se pode ver onde ela termina e onde começa a alma. O ser humano atinge então sua plenitude.

Que é que está envolvido na cura de uma alma?

Quase todos nós estamos habituados à idéia de que somos responsáveis por algumas de nossas ações, mas não por todas. Consideramo-nos responsáveis, por exemplo, pelas boas ações que nos permitem viver em harmonia com o nosso vizinho ou por reagir a ele positivamente, mas não nos consideramos responsáveis pela alteração entre nós e o nosso vizinho ou por reagir a ele negativamente. Consideramo-nos responsáveis por fazer uma viagem segura se nos damos ao trabalho de verificar as condições do carro antes de partir, mas se pisamos no acelerador, por achar que o carro está indo muito devagar, e quase provocamos um acidente, atribuímos a responsabilidade ao outro motorista. Se nos alimentamos e nos vestimos com o dinheiro proporcionado por nossos negócios bem-sucedidos, felicitamo-nos por isso. Se nos vestimos e nos alimentamos roubando apartamentos, pomos a culpa na nossa infância difícil.

Para muitos de nós, assumir a responsabilidade é igual a ser pego desprevenido. Um amigo que vai todos os anos à Itália, onde nasceu, falou-me, com um piscar de olhos, de um jantar num restaurante com sua família. Quando veio a conta, o pai do meu amigo, homem exigente, examinou cada item garatujado. Depois de algum esforço, conseguiu decifrar o último e reconheceu nele uma breve expressão que se traduz aproximadamente por: "Se passar, passou." Chamou o garçom e perguntou-lhe: "Que significa isso?" O garçom deu de ombros: "Bem, não passou." Muitos de nós achamos que, se um balconista nos deu troco a mais e nós o recebemos, nossa vida só foi afetada na medida em que obtivemos um ganho inesperado. Na verdade, cada um dos nossos atos nos afeta de maneira abrangente.

Cada ação, pensamento e sentimento é motivado por uma intenção, e essa intenção é uma causa que terá seu respectivo efeito. Se participamos da causa, não nos é possível deixar de participar do efeito. Deste ponto de vista profundo, somos responsáveis por toda ação, pensamento e sentimento, ou seja, por todas as nossas intenções. Colheremos o fruto de cada uma de nossas intenções. Urge, pois, conscientizar-nos das múltiplas intenções que determinam a nossa experiência, discernir quais as intenções e quais os efeitos que elas produzem, e escolher nossas intenções de acordo com os efeitos que desejamos produzir.

É desta maneira que aprendemos acerca da realidade física na infância e que aprimoramos o nosso conhecimento sobre ela na idade adulta. Aprendemos o efeito do ato de chorar quando estamos com fome e repetimos a causa que nos traz o efeito desejado. Aprendemos o efeito do ato de pôr o dedo numa tomada e não repetimos a causa que produz esse efeito.

Também aprendemos acerca das intenções e de seus efeitos através de nossas experiências na realidade física, mas o aprendizado de que as intenções produzem efeitos específicos e de quais são esses efeitos é um processo lento quando se dá unicamente através da densidade da matéria física. A cólera, por exemplo, provoca distanciamento e interações hostis. Se tivermos que aprender unicamente através da experiência física, poderemos ter de passar por dez, cinqüenta, cento e cinqüenta circunstâncias de distanciamento dos outros e de interações hostis antes de compreender que é o estar orientados pela cólera, a intenção de hostilidade e distanciamento, e não esta ou aquela ação particular, que produz o efeito que não desejamos. É esta, predominantemente, a maneira como o ser humano pentassensorial aprende.

A relação de causa e efeito no domínio dos objetos e fenômenos físicos reflete uma dinâmica que não se limita à realidade física. É a dinâmica do carma. Tudo o que existe no mundo físico, incluindo cada um de nós, é uma pequena parte de dinâmicas muito mais vastas do que o ser humano pentassensorial pode perceber. O amor, o medo, a compaixão e a cólera que você sente, por exemplo, são apenas uma pequena parte do amor, do medo, da compaixão e da cólera de um sistema de energia mais amplo que você não vê.

Na realidade física, a dinâmica do carma é refletida pela terceira lei do movimento: "Para cada ação há uma reação igual e oposta." Em outras palavras, a grande lei do carma, que governa o equilíbrio da energia em nosso sistema evolutivo, se reflete no domínio dos objetos e fenômenos físicos pelo último dos três princípios, das três leis do movimento, que governa o equilíbrio da energia na realidade física.

A lei do carma é uma dinâmica energética impessoal. Quando seus efeitos são personalizados, ou seja, vivenciados do ponto de vista da personalidade, eles são experimentados como uma reversão na direção, um retorno da energia contida na intenção ao emissor dessa intenção. É assim que a personalidade vivencia a dinâmica impessoal descrita pela terceira lei como uma "reação igual e oposta". A pessoa cuja intenção é de ódio para com os outros sofre o efeito da intenção de ódio dos outros. A pessoa cuja intenção é de amor para com os outros sofre o efeito da intenção de amor dos outros, e assim por diante. A Regra de Ouro é um guia comportamental baseado na dinâmica do carma. Uma afirmação personalizada do carma seria: "O mundo lhe retribui aquilo que você lhe dá."

O carma não é uma dinâmica moral. A moralidade é uma criação humana. O Universo não julga. A lei do carma governa o equilíbrio da energia em nosso sistema de moralidade e no de nossos vizinhos. Serve à humanidade como um mestre impessoal e Universal que ensina a responsabilidade.

Toda causa que ainda não produziu o seu efeito é um evento que ainda não se consumou. É um desequilíbrio de energia que se acha no processo de equilibrar-se. Esse equilíbrio da energia nem sempre ocorre no lapso de uma única vida. O carma de sua alma é criado e equilibrado pelas atividades de suas múltiplas personalidades, incluindo você. Muitas vezes a personalidade sofre efeitos que foram criados por outra das personalidades de sua alma e, inversamente, cria desequilíbrios de energia que não se podem corrigir durante sua própria vida. Assim, sem o conhecimento de sua alma, da reencarnação e do carma, nem sempre é possível a uma personalidade compreender a razão e o significado dos acontecimentos de sua vida ou os efeitos de suas reações a eles.

Por exemplo, uma personalidade que explora os outros cria um desequilíbrio de energia que deve ser corrigido pela experiência de ser explorado pelos outros. Se isso não puder ocorrer durante a vida dessa personalidade, outra das personalidades de sua alma passará por essa experiência. Se essa personalidade não compreender a experiência de ser explorada pelos outros é o efeito de uma causa anterior e que essa experiência está completando um processo impessoal, ela reagirá de um ponto de vista pessoal, em vez de reagir do ponto de vista da sua alma. Pode ficar irritada, por exemplo, ou vingativa, ou deprimida. Pode vociferar, tornar-se cínica ou refugiar-se na tristeza. Cada uma dessas reações gera carma, outro desequilíbrio de energia que, por sua vez, deve ser corrigido. Desse modo, um débito cármico foi pago, por assim dizer, mas outro, ou outros, foram criados.

Se uma criança morre em tenra idade, não sabemos que acordo foi feito entre a alma dessa criança e as almas de seus pais, ou que cura foi proporcionada por essa experiência. Embora simpatizemos com a angústia dos pais, não podemos julgar esse evento. Se nós, ou os pais da criança, não compreendermos a natureza impessoal da dinâmica que está em movimento, poderemos reagir com ira contra o Universo ou contra os outros, ou com um sentimento de culpa, se acharmos que nossas ações foram inadequadas. Todas essas reações geram carma, e surgem novas lições a serem aprendidas pela alma – mais débitos cármicos a serem pagos pela alma.

Para alcançar sua plenitude, a alma deve equilibrar sua energia, deve sofrer os efeitos das causas que criou. Os desequilíbrios de energia da alma são as partes incompletas da alma que formam a personalidade. Personalidade em interação são almas que estão tentando curar-se. Se uma interação entre almas é curativa ou não, isso vai depender de a personalidade envolvida conseguir ver, além de si mesma e da outra personalidade, a interação de suas almas. Essa percepção suscita automaticamente a compaixão. Toda experiência e toda interação nos proporcionam a oportunidade de olhar do ponto de vista da alma ou do ponto de vista da personalidade.

Que significa isso em termos práticos? Como uma personalidade começa a olhar para além de si mesma e a ver sua alma em interação com as almas dos outros?

Como não podemos saber o que está sendo curado por meio de cada ação – que débitos cármicos estão sendo saldados – não podemos julgar o que vemos. Quando vemos, por exemplo, uma pessoa dormindo na valeta, no inverno, não sabemos o que está sendo completado para aquela alma. Não sabemos se a alma cometeu alguma crueldade em outra vida e agora escolheu sofrer a mesma dinâmica de um ponto de vista totalmente diferente, como, por exemplo, ser alvo de caridade. É apropriado respondermos a essa circunstância com compaixão, mas não percebê-la como injusta, porque não o é.

Existem personalidades egoístas, hostis e negativas, mas mesmo nesses casos não podemos compreender plenamente o porquê disso. As razões que o determinam nos estão ocultas. Isso não significa que não possamos reconhecer a negatividade quando a vemos, mas não podemos julgá-la. Não nos cabe fazê-lo. Se interferimos numa discussão ou interrompemos uma briga, não é apropriado julgarmos os participantes. De uma coisa podemos estar certos: a pessoa envolvida na violência está a prejudicar-se profundamente, porque uma alma sadia e equilibrada é incapaz de ferir os outros.

Quando julgamos, criamos carma negativo. O julgamento é função da personalidade. Quando dizemos, acerca de outra alma: "Ela é digna" ou "Ela não é digna", criamos carma negativo. Quando dizemos, acerca de uma ação: "Isto é certo" ou "Aquilo é errado", criamos carma negativo. Não quer isto dizer que não devamos agir de acordo com as circunstâncias em que nos encontramos.

Se o nosso carro é atingido por outro carro, por exemplo, e o motorista do outro carro está bêbado, é apropriado que ele assuma a responsabilidade, pagando o conserto do nosso. É apropriado que ele ou ela seja proibido de dirigir embriagado. Não é apropriado permitirmos que nossas ações sejam motivadas por sentimentos de indignação, virtuosidade ou de ser vítima. Esses sentimentos decorrem dos julgamentos que fazemos acerca de nós mesmos e da outra pessoa, são avaliações pelas quais nos vemos como superiores a outro ser.

Se atuamos a partir desses sentimentos, não apenas aumentamos as obrigações cármicas da nossa alma como também nos tornamos incapazes de compreender tais sentimentos e de aprender com eles. Os sentimentos, como veremos, são os meios pelos quais podemos discernir as partes da personalidade que a alma está tentando curar e pelos quais conseguimos ver a ação da alma na matéria física. Chegamos à alma pelo caminho do coração.

Para adotar o ponto de vista da alma, devemos cessar de julgar até mesmo os acontecimentos que nos parecem inescrutáveis, como a crueldade numa inquisição ou num holocausto, a morte de uma criança, a prolongada agonia de uma morte por câncer ou uma vida confinada à cama. Não sabemos o que está sendo curado nesses sofrimentos, desconhecemos os pormenores da circunstância energética que está entrando em equilíbrio. É apropriado nos permitirmos sentir a compaixão que tal circunstância suscita em nós e atuar sobre ela, mas, se nos permitimos julgar esses eventos e as pessoas que deles participam, criamos carma negativo que precisará ser equilibrado, e nós, nós mesmos, estaremos entre as almas que escolhem participar das circunstâncias necessárias ao estabelecimento desse equilíbrio.

Se não julgamos, como pode haver justiça?

Gandhi foi espancado várias vezes durante a sua vida. Embora por pouco não tenha morrido em duas ocasiões, ele se recusou a acusar seus agressores porque via que estes estavam fazendo "o que lhes parecia correto". Essa posição de aceitar as coisas sem julgá-las era fundamental na vida de Gandhi. Cristo não julgou nem mesmo os que lhe cuspiram no rosto e O sujeitaram impiedosamente à dor e à humilhação. Pediu perdão, e não vingança para aqueles que O torturaram. Será que nem Cristo nem Gandhi conheciam o significado da justiça?

Eles conheciam a justiça não-judicativa.

Que é justiça não-judicativa?

Justiça não-judicativa é uma percepção que nos permite ver tudo na vida, mas sem envolver nossas emoções negativas. A justiça não-judicativa alivia-nos do cargo autodesignado de juiz e júri, porque sabemos que tudo está sendo visto – nada escapa à lei do carma – e isso produz compreensão e compaixão. Justiça não-judicativa é a liberdade de vermos o que vemos e sentirmos o que sentimos sem reagir negativamente. Ela nos permite sentir diretamente o livre fluxo da inteligência, radiância e amor do Universo do qual nossa realidade física é uma parte. A justiça não-judicativa flui naturalmente da compreensão do que é a alma e do modo como ela evolui.

Tal é, pois, a estrutura do nosso processo evolucionário: a contínua encarnação e reencarnação da energia da alma na realidade física com o propósito de curar e equilibrar essa energia segundo a lei do carma. Dentro dessa estrutura, evoluímos, como indivíduos e como espécie, através do ciclo que conduz da ausência de poder à aquisição de poder, embora as experiências com que nos deparamos nesse processo não sejam necessariamente do tipo daquelas com que nos deparamos até agora.

3

Reverência

A estrutura carma-reencarnação, na qual evoluímos, é neutra. As ações e reações na arena física põem a energia em movimento, formando nossas experiências e revelando, nesse processo, as lições que a alma ainda precisa aprender. Quando nossas ações criam discórdia em outra pessoa, nós próprios, nesta ou noutra vida, sentiremos essa discórdia. Do mesmo modo, se nossas ações criam harmonia e poder em outra pessoa, também nós sentiremos essa harmonia e esse poder. Isso nos permite sofrer os efeitos daquilo que criamos e, portanto, nos ensina a criar com responsabilidade.

A estrutura carma-reencarnação é impessoal e propicia a cada alma, em resposta às ações de suas personalidades, as experiências de que necessita para evoluir. Assim, a orientação, ou a atitude, com a qual a personalidade aborda o processo evolucionário determina a natureza das experiências que serão requeridas para a evolução de sua alma. Uma personalidade irascível, por exemplo, reagirá às dificuldades de sua vida com irritação e suscitará, portanto, a necessidade de sofrer os efeitos da irritação; uma personalidade triste reagirá com tristeza e suscitará a necessidade de sofrer os efeitos da tristeza, e assim por diante.

Uma pessoa que, embora irascível, reverencia a Vida reagirá de um modo bastante diferente às dificuldades da sua vida em comparação com a pessoa irascível que não tem reverência alguma pela Vida. A pessoa que não reverencia a Vida não hesitará em arremeter contra a Vida. A violência liberada quando se mata outra pessoa ou outra criatura viva é muito maior que a violência liberada quando se pronunciam palavras de ira. A obrigação cármica – o equilíbrio da energia – criada quando se mata só pode ser equilibrada pela experiência de uma brutalidade de igual proporção. Assim, a pessoa reverente será automaticamente poupada das graves conseqüências cármicas que recairão sobre aquela que não o é.

Ainda que todos os indivíduos da nossa espécie fossem reverentes, isso não nos livraria da necessidade de mover-nos através da nossa própria evolução, mas apenas modificaria a qualidade das aprendizagens ao longo do processo evolutivo. Em outras palavras, se nos tornássemos reverentes hoje, não estaríamos isentos das exigências de nossa evolução, mas a qualidade das experiências com que nos depararíamos seria diferente. Não agrediríamos a Vida. Continuaríamos a aprender a mesma coisa, mas no processo de aprendizado não tentaríamos agredir ou destruir. Nossa jornada da ausência de poder para a aquisição do autêntico poder prosseguiria, mas a natureza dessa experiência mudaria. Não encontraríamos os tipos de experiências que resultam de uma percepção do mundo desprovida de reverência.

Vemos a Vida como algo sem valor. Essa percepção impregna todas as nossas percepções. Quando observamos o reino animal, por exemplo, vemos as atividades que ocorrem nesse reino como a verificação da nossa avaliação da Vida. Vemos os animais matarem e se alimentarem de outros animais e concluímos que as formas de Vida mais fracas só existem para alimentar as mais fortes. Justificamos nossa exploração da Vida baseados no que nos parece ser o desígnio da Natureza. Mutilamos e matamos. Criamos situações nas quais milhões de pessoas morrem de fome enquanto armazenamos grãos em silos e desperdiçamos enormes quantidades de leite. Vemo-nos uns aos outros como objetos destinados a satisfazer nossas necessidades emocionais e físicas. Dizemos que "este é um mundo de competição" e que para sobreviver nele devemos explorar os outros, antes que eles nos explorem. Vemos a Vida como uma arena que produz vencedores e perdedores e ficamos inteiramente sem controle quando as necessidades de outras pessoas ou de outros grupos nos ameaçam.

Nosso comportamento e nossos valores são de tal forma moldados pelas percepções desprovidas de reverência que nem sabemos o que é ser reverente. Quando prejudicamos um concorrente ou tentamos tirar o poder de outra pessoa, afastamo-nos da reverência. Quando nos empenhamos em tomar ao invés de dar, laboramos sem reverência. Quando buscamos segurança à custa da segurança de outra pessoa, privamo-nos da proteção da reverência. Quando julgamos uma pessoa superior e outra inferior, afastamo-nos da reverência. Quando nos julgamos, fazemos a mesma coisa. Negócios, política, educação, sexo, formação familiar e interações pessoais sem reverência produzem sempre o mesmo resultado: seres humanos usando outros seres humanos.

Nossa espécie tornou-se arrogante. Comportamo-nos como se a Terra nos pertencesse para fazermos dela o que nos aprouver. Poluímos a terra, os oceanos e a atmosfera para satisfazer as nossas necessidades sem pensar nas necessidades das outras formas de vida que vivem sobre a Terra ou nas necessidades da própria Terra. Acreditamos que somos conscientes e que o Universo não o é. Pensamos e agimos como se nossa existência enquanto forças vivas no Universo fosse terminar ao cabo desta nossa vida, e pensamos que não somos responsáveis nem pelos outros nem pelo Universo.

A pessoa reverente é incapaz de explorar os seus amigos, colaboradores, sua cidade, nação ou planeta. A espécie reverente é incapaz de criar sistemas de casta, o trabalho de menores, gases asfixiantes ou armas nucleares. Assim, a pessoa reverente, ou a espécie reverente, é incapaz de acumular o tipo de carma que tais atividades acarretam.

Por que isso? O que é reverência?

Reverência é o envolvimento numa forma e numa profundidade de contato com a Vida que vai muito além da aparência exterior da forma e penetra na essência. Reverência é o contato com a essência de cada coisa, pessoa, planta, ave e animal. É o contato com o interior de cada ser. Ainda que você não possa sentir o interior, é suficiente saber que a forma, a aparência não passa de uma camada exterior e que por baixo dela está presente o verdadeiro poder, a verdadeira essência daquilo que a pessoa ou a coisa é. É isso que é dignificado na reverência.

Na reverência, o processo é dignificado. O desdobramento da Vida, o processo de maturação, o processo de aumentar e alcançar seu próprio poder é um processo que você deve abordar com reverência.

Os ciclos da Vida devem ser abordados com reverência. Eles ocorrem há bilhões de anos. São o reflexo do sopro natural da alma da própria Gaia, a consciência da Terra, à medida que ela movimenta seus campos de força e guia os ciclos da Vida. Se estes são venerados, como poderíamos olhar para uma coisa tão delicada quanto a ecologia de nossa Terra e fazer algo que poderia pôr em risco o equilíbrio desse sistema?

Reverência é uma atitude de dignificação da Vida. Não é preciso possuir o autêntico poder para reverenciar ou amar a Vida. Existem muitas pessoas que, embora não possuam o autêntico poder, são perfeitamente reverentes. São incapazes de fazer o mal. Não raro, são as pessoas mais compassivas e amorosas porque sofreram muito.

O fato de uma pessoa ser reverente depende essencialmente de ela aceitar ou não o princípio da sacralidade da Vida, não importa como ela defina o sagrado.

A reverência é também, simplesmente, a experiência de aceitar o fato de que toda a Vida é, em si e por si, valiosa.

Reverência não é respeito. Respeito é julgamento. É uma resposta à percepção de qualidades que admiramos ou nos ensinaram a admirar. As qualidades admiradas pelas pessoas de uma cultura podem não ser admiradas pelas de outra cultura, ou pelas de uma subcultura, ou por outra geração da mesma cultura. O que é, portanto, respeitado por algumas pessoas pode não sê-lo por outras. É possível respeitar uma pessoa e não respeitar outra, mas não o é reverenciar uma pessoa sem reverenciar todas as outras.

A reverência é uma percepção, mas uma percepção sagrada. A percepção do sagrado não é uma percepção que usamos continuamente. É uma percepção que aplicamos à religião, mas não ao processo de evolução ou ao processo de aprendizagem da Vida humana, e assim não abordamos a necessidade de aprender e todas as experiências de aprendizagem de nossas vidas com o seu propósito contra o pano de fundo do desenvolvimento espiritual. Perceber dessa maneira é verdadeira reverência, pois permite-nos observar as experiências pelas quais estamos passando e vê-las no contexto da evolução e da maturação de nosso próprio espírito. É verdadeira reverência porque nos capacita a observar todas as evoluções que estão ocorrendo simultaneamente à nossa própria, em todos os reinos da Vida, e apreciar plenamente ou, pelo menos, ver de maneira muito diferente, como elas se desdobram.

Só quando vemos através de olhos desprovidos de reverência, por exemplo, é que o fato de um animal se alimentar de outro nos parece ser um sistema cruel, e não um sistema no qual as espécies aprendem a dar-se umas às outras, no qual há uma doação natural e uma partilha de energia entre os reinos. Isto é ecologia: a redistribuição natural de energia entre os reinos. Só o nosso reino, o reino humano, quer armazenar energia, usar muito mais do que precisa e estocar o que não precisa, de modo que o equilíbrio do ciclo se vê seriamente perturbado. Se cada um de nós utilizasse apenas o que nos é necessário para o dia presente, o reino humano seria perfeito. Os animais não armazenam como nós, salvo o caso dos que precisam fazê-lo para o inverno.

A percepção da reverência permite-nos ver a interdependência das diferentes espécies de uma perspectiva mais abrangente e compassiva. Permite-nos ver o significado de cada criatura viva, e sua experiência, para o desenvolvimento compassivo do Universo. Essa perspectiva é muito menos capaz de criar reações violentas ou destrutivas em nós à medida que evoluímos, porque revela em cada momento o valor de toda forma de Vida.

Abordar e considerar a Vida com uma atitude de reverência permite a experiência de ser impotente, mas não cruel. Quando você se empenha no sentido de ser reverente, suas tendências a prejudicar os outros e as demais formas de vida diminuem. Quando adquire um sentimento de reverência, você desenvolve uma capacidade de pensar mais profundamente acerca do valor da Vida antes de empregar sua energia na ação. Quando somos plenamente reverentes, somos incapazes de agredir a Vida, mesmo que não estejamos investidos de poder. Sem a reverência, o fato de não se possuir poder pode tornar-se uma experiência muito cruel, porque a pessoa sem poder é uma pessoa amedrontada e, se a pessoa amedrontada não tem o sentimento de reverência, acabará agredindo ou matando indiscriminadamente.

A reverência é um nível de percepção e veneração do processo da vida; assim, enquanto a pessoa está amadurecendo rumo à jornada e através da jornada da aquisição do poder autêntico, é incapaz de fazer o mal. Como não temos reverência, nossa jornada rumo ao poder inclui, não raro, as experiências de vitimar a vida. Há, pois, vítimas e vitimadores. O processo de destruir a Vida enquanto estamos aprendendo a respeito da Vida que caracterizou a nossa evolução cessaria, ou pelo menos seria muito diferente, se abordássemos a Vida com a qualidade da reverência.

É por não termos nenhum senso de reverência, nenhuma verdadeira crença na santidade de todas as formas de Vida, que a Vida é destruída, torturada, brutalizada, submetida à fome e mutilada enquanto passamos da impotência para o poder. Se o sentimento de reverência fosse infundido no processo de evolução, é provável que, à medida que cada um de nós ou nossa espécie avança através do ciclo que vai da impotência ao poder, os múltiplos aprendizados contidos nesse processo crescente de evolução não produzissem violência e medo na extensão em que hoje os conhecemos.

A destruição da Vida humana, da Vida vegetal, da Vida animal e do planeta seria consideravelmente diminuída, ou cessaria, se houvesse um princípio ativo de reverência em nossa espécie, se houvesse a percepção, em nossa espécie e em cada um de nós, de que, embora estejamos envolvidos em processos evolucionários que exigem a aprendizagem pessoal, isso não nos autoriza a destruir a Vida enquanto estamos aprendendo, ou porque estamos aprendendo. Não teríamos a energia cármica da destruição, mas só a do aprendizado. Ainda que o aprendizado esteja contido na destruição, as conseqüências cármicas da participação na violência e na destruição constituem um alto preço a pagar.

Não é necessário, em outras palavras, aprender o que precisamos aprender à custa da vida de alguém. Não é necessário que o progresso e a experiência do progresso sejam pagos com a destruição da natureza. Nada disso é necessário, mas, sem um sentimento de reverência pela Vida, quem se preocupa com a destruição da Vida? Sem reverência, a Vida se torna um artigo barato, como sucede em nosso planeta agora que a integridade e a santidade da evolução não são nem levadas em conta, nem aceitas, nem veneradas.

Se percebêssemos a Vida com reverência e compreendêssemos nosso processo evolutivo, veneraríamos a experiência da Vida física e caminharíamos sobre a Terra com profundo sentimento de gratidão. Nas circunstâncias atuais, existem bilhões de seres humanos que lamentam estar na Terra, com suas esmagadoras experiências de dor, desespero, desalento, depressão, fome e doença. Assim estão as coisas no nosso planeta. Elas resultam amplamente do fato de grande parte da condição humana estar desprovida de reverência.

A reverência é uma percepção da alma. Só a personalidade

pode perceber a Vida sem reverência. A reverência é um aspecto natural do poder autêntico, porque a alma reverencia todas as formas de Vida. Assim, quando a personalidade está alinhada com a alma, só pode perceber a Vida com reverência. Abordar a Vida com reverência não apenas protege a alma das obrigações cármicas criadas pelas personalidades que não veneram a Vida como é também um passo no sentido de sintonizar a personalidade com a alma, porque infunde um aspecto da alma diretamente no ambiente físico.

Que significa, em termos práticos, a decisão de abordar a Vida com reverência?

Significa desafiar as percepções e os valores de um mundo pentassensorial desprovido de reverência. Nem sempre isso é fácil, especialmente para os homens a quem se ensinaram valores que servem à acumulação de poder exterior. Um homem autenticamente dotado de poder não se sentirá embaraçado ou menos masculino por mostrar preocupação com a Vida e com as inúmeras criaturas do nosso planeta. Esta é, em grande parte, a energia da reverência. Assim, a decisão de abordar a Vida com reverência quase sempre requer coragem, não só dos homens como também das mulheres que adotaram esses valores.

A decisão de tornar-se uma pessoa reverente é, essencialmente, a decisão de tornar-se uma pessoa espiritual. Não existe atualmente nenhum lugar para a espiritualidade no campo da ciência, da política, dos negócios ou das academias. Para uma personalidade pentassensorial desprovida de reverência, um homem ou uma mulher de negócios reverente parece estar competindo com desvantagem, porque o âmbito de suas atividades não é ilimitado, e um político reverente parece não estar qualificado para a liderança num mundo onde o único poder reconhecido é o poder externo. Todavia, para o ser humano multissensorial, um homem ou uma mulher de negócios reverente é uma pessoa que infunde uma energia nova no arquétipo do empresário, levando-o de uma dinâmica motivada pelos lucros gerados por meio do serviço aos outros para uma dinâmica de servir aos outros que se torna possível graças aos lucros, e um político reverente é uma pessoa que desafia o conceito do poder exterior e leva para a arena política as preocupações do coração. Portanto, a decisão de abordar a Vida com reverência significa agir e pensar como uma pessoa espiritual num mundo que não reconhece o espírito, e significa avançar conscientemente rumo às percepções do ser humano multissensorial.

Viver com reverência significa consentir em dizer: "Isso é Vida; não devemos fazer-lhe mal" e "Esses são os nossos companheiros humanos; não devemos destruí-los." Significa reexaminar a maneira como tratamos os membros do reino animal, que nos servem tão pacientemente. Significa reconhecer os direitos da Terra. Que a Terra tenha direitos é um conceito que ainda não está presente na nossa espécie.

Uma atitude de reverência constitui a atmosfera, o ambiente em que a personalidade multissensorial evolui. É um sentimento de riqueza, plenitude e intimidade de ser. Cria compaixão e atos de bondade. Sem reverência, sem a percepção da divindade de todas as coisas, o mundo torna-se frio e árido, mecânico e fortuito ao mesmo tempo, e isso produz experiências de alienação e atos de violência. Não é natural viver sem reverência, porque isso nos separa da energia básica da alma.

A reverência produz automaticamente a paciência. A impaciência é o desejo de atender primeiro às nossas necessidades. Quando suas necessidades são atendidas, você não tem paciência com as necessidades dos outros? A pessoa reverente venera a Vida em todas as suas formas e em todas as suas atividades. Não pensa segundo os padrões que produzem a impaciência.

A reverência permite a justiça não-judicativa. A alma não julga e, dessa forma, a personalidade escolhe infundir na realidade física outra das características de sua alma, quando escolhe abordar a Vida com reverência. A pessoa reverente não pode considerar-se superior a outra pessoa ou a qualquer forma de Vida, porque ela vê a Divindade em todas as formas da Vida, e venera-a.

Uma atitude de reverência facilita a transição da lógica e compreensão do ser humano pentassensorial para a ordem superior da lógica e compreensão do ser humano multissensorial, porque, como veremos, essa ordem superior de lógica e compreensão se origina no coração.

Sem reverência, nossas experiências são brutais e destrutivas. Com reverência, nossas experiências tornam-se compassivas e bondosas. Mais cedo ou mais tarde haveremos de venerar todas as formas de Vida. Cabe a nós escolher quando isso acontecerá e a qualidade da experiência que teremos à medida que formos aprendendo.

4

Coração

As lógicas que permitiram a nossa exploração pentassensorial da realidade física não podem compreender a evolução intemporal ou a influência do presente sobre o passado. Não podem representar de uma forma significativa a existência da alma ou a dinâmica do equilíbrio de energia que gera e liga inúmeras vidas. Não refletem pontos de referência da experiência que transcendam os da personalidade pentassensorial. É chegada, portanto, a hora de uma ordem de lógica e compreensão mais elevada.

As lógicas e compreensões da personalidade pentassensorial têm origem na mente. São produtos do intelecto. A ordem superior de lógica e compreensão que é capaz de refletir significativamente a alma brota do coração. A criação dessa ordem superior de lógica e compreensão requer, portanto, escrupulosa atenção aos sentimentos.

A posição central do coração na ordem superior de lógica e compreensão do ser humano multissensorial e a sensibilidade às correntes emocionais que caracteriza o ser humano multissensorial parecem estranhas à personalidade pentassensorial porque não se prestam à acumulação de poder exterior. À medida que buscamos e exercemos conscientemente o poder exterior, passamos a ver os sentimentos como acessórios desnecessários, como as amígdalas – inúteis, mas capazes de produzir dor e disfunção. Assim, a busca do poder exterior levou à repressão da emoção. Isso se aplica a nós como indivíduos e como espécie.

A irrelevância que atribuímos aos sentimentos impregna nossos pensamentos e nossos valores. Admiramos o homem de negócios "durão", que despede empregados no interesse do poder exterior. Recompensamos o oficial militar que manda a si mesmo ou aos outros para a dor e a morte em prol do poder exterior. Reverenciamos o estadista que não se deixa influenciar pela compaixão.

Quando fechamos as portas aos nossos sentimentos, fechamos as portas às correntes vitais que estimulam e ativam nossos pensamentos e ações. Não podemos encetar o processo de compreender os efeitos de nossas emoções sobre nós mesmos, sobre o nosso ambiente e sobre as outras pessoas, ou os efeitos das emoções das outras pessoas sobre elas mesmas, sobre seu ambiente e sobre nós. Sem a consciência de nossas emoções, não podemos associar os efeitos da cólera, da tristeza, do pesar e da alegria – em nós e nos outros – às suas causas. Não podemos distinguir entre a parte de nós que é a personalidade e a parte de nós que é a alma. Sem a consciência de nossos sentimentos, não podemos vivenciar a compaixão. Como poderemos compartilhar os sofrimentos e as alegrias dos outros se não podemos vivenciá-los em nós?

Se não temos intimidade com nossas emoções, não podemos perceber as dinâmicas que estão por trás das emoções, o modo como essas dinâmicas operam e os fins a que servem. As emoções são correntes de energia que passam através de nós. A consciência dessas correntes é o primeiro passo na aprendizagem de como nossas experiências tomam forma e por quê.

As emoções refletem as intenções. Assim, a consciência das emoções leva à consciência das intenções. Toda discrepância entre uma intenção consciente e as emoções que a acompanham aponta diretamente para um aspecto fragmentado do eu que requer cura. Se, por exemplo, sua intenção de casar-se lhe causa tristeza em vez de alegria, seguir a trajetória da tristeza conduzirá você às suas intenções inconscientes. Se sua intenção de progredir no trabalho lhe causa desgosto em vez de satisfação, seguir a trajetória do desgosto o conduzirá às suas intenções inconscientes.

Sem a consciência de nossas emoções, somos incapazes de sentir reverência. A reverência não é uma emoção. É um modo de ser, mas o caminho para a reverência passa pelo coração, e só a consciência dos nossos sentimentos pode abrir-nos o coração.

A ordem superior de lógica e compreensão da personalidade multissensorial revela conexões onde nenhuma conexão é visível para a personalidade pentassensorial, e significado onde nenhum significado é visível para a personalidade pentassensorial. A personalidade pentassensorial é incapaz de processar plenamente os dados dos sentidos. Sua percepção da realidade é segmentada. Sua experiência do Universo é compartimentada.

A personalidade pentassensorial pode aprender que as dinâmicas internas afetam a percepção e formular isso como folclore ou clichê: "Sorria e o mundo sorrirá com você." Pode descobrir regularidades na realidade física e formulá-las como leis: "Um corpo em movimento uniforme continuará em movimento uniforme enquanto uma força não atuar sobre ele." Todavia, a personalidade pentassensorial é incapaz de vivenciar as relações entre esses domínios e, portanto, de aprender sobre um a partir do outro. É incapaz de experimentar a mesma riqueza através de cada um deles.

A ciência, por exemplo, reflete o impulso Divino para adquirir conhecimento das relações que ligam aspectos da experiência aparentemente separados. É a realização máxima da personalidade pentassensorial, mas, quando os frutos da ciência são percebidos apenas com a lógica e a compreensão do ser humano pentassensorial, as dinâmicas internas – sentimentos e intenções – parecem não estar relacionadas com o mundo da matéria. Nem as supernovas, nem as taxas de desintegração subatômica, nem nada intermediário parece ser afetado pelo que os seres humanos sentem ou pensam.

Quando as descobertas da ciência são entendidas com a lógica e a compreensão do ser humano multissensorial, aparecem as relações íntimas entre as dinâmicas internas e as regularidades que governam os fenômenos físicos. Para o ser humano multissensorial, por exemplo, "um corpo em movimento uniforme continuará em movimento uniforme enquanto uma força não atuar sobre ele" reflete não só uma dinâmica em funcionamento no reino do tempo, do espaço e da matéria como também uma dinâmica mais profunda que opera igualmente na realidade não-física.

Como isso ocorre?

Um dos meus colegas da escola de candidatos a oficial de infantaria era um rapaz alto, afável e de boa aparência, natural do Kentucky. Chamava-se Hank. Hank e eu logo nos tornamos amigos. Muitas vezes ele me emprestava sua força física quando meu fardo se fazia excessivamente pesado, enquanto eu o ajudava a superar obstáculos intelectuais, tais como calcular trajetórias de artilharia. Compartilhávamos aventuras, e nossa amizade cresceu.

Depois de formados, fomos encaminhados a diferentes organizações. Perdi Hank de vista até encontrá-lo em Saigon. Ele tinha sido ferido e, graças à intervenção de um general do exército, fora encaminhado à unidade que eu costumava visitar. Enquanto servia em Saigon, conheceu uma popular locutora de rádio e os dois ficaram noivos. Pareciam formar um casal perfeito – um capitão alto e elegante e uma personalidade pública bela e admirada.

Tornei a perder Hank de vista até afastar-me do exército. Um dia ele me telefonou para dizer que sua esposa ia apresentar-se num balneário perto do lugar onde eu morava e pediu-me para ir ter com ele. Quando encontrei Hank, que também tinha, então, deixado o exército, ele me pareceu perturbado. Perdera o jeito descontraído. Mudara seu nome para Hal, disse-me, e pediu desculpas por sua esposa não poder reunir-se a nós. Conversamos durante algum tempo, e quando lhe perguntei o que estava fazendo na vida ele me respondeu: "Procurando o meu lugar ao sol."

A próxima notícia que tive de Hank/Hal foi que ele se suicidara. Mais tarde, quando consegui encontrar sua esposa, ela me contou uma dolorosa história de dificuldades conjugais, falou do desalento de Hank e de seu suicídio. Depois da guerra do Vietnã, um número de veteranos três vezes maior que o de homens e mulheres mortos durante o conflito retomou sua vida. É provável, portanto, que Hank também tenha sido afetado por suas experiências de guerra. No entanto, havia ainda uma dinâmica mais comum operando no meu amigo.

Hank não era do tipo de pessoa capaz de fazer a si mesma perguntas mais profundas sobre a sua vida. Não indagou qual era o significado mais profundo da sua existência na Terra, porque isso o teria levado a mudar de vida, e ele não queria fazer isso. Viveu a vida sem muita reflexão, e um dia tomou consciência de uma impotência e um vazio esmagadores.

Como a vida de meu amigo se relaciona com a primeira lei do movimento, "um corpo em movimento uniforme continuará em movimento uniforme enquanto uma força não atuar sobre ele"? Que significa "movimento uniforme" em termos de uma Vida humana, e qual é a "força" que altera esse movimento?

Os acontecimentos exteriores da vida de Hank não eram uniformes. Ele cresceu numa fazenda do Kentucky, tornou-se oficial militar, viajou milhares de milhas, casou-se com uma celebridade e pôs termo à própria vida. Era a qualidade inconsciente do fluxo da vida de Hank que era uniforme em seu movimento. Nem as experiências da infância, nem as do serviço militar, nem seu casamento levaram Hank a considerar seriamente o significado mais profundo de sua existência. As tristezas e as alegrias que fluíam através dele não afetaram sua consciência de quem ele era ou do que poderia tornar-se.

Hank não se permitiu seguir até às raízes as experiências de sua vida. Pelo contrário, temia essa busca. Por isso, a vida lhe fluía uniformemente despercebida, uniformemente inconsciente, desde sua encarnação até sua liberação. Passou pelas situações que eram necessárias ao equilíbrio da energia de sua alma, reagiu a elas de acordo com o condicionamento adquirido através do carma de sua alma e do ambiente em que nasceu e, inconscientemente, criou mais carma com cada reação.

A compaixão que Hank trouxe ao mundo estimulou muitas pessoas ao seu redor, inclusive eu, mas ele não lhe permitiu converter-se no seu centro de gravidade. Hank não fez esforço algum para ir ao encontro da sua alma. Passou a vida tentando realizar os desejos de sua personalidade e tornou-se por demais apegado a esses desejos para querer mudá-los. Assim, a vida de Hank foi "um corpo em movimento uniforme" que nunca encontrou uma "força".

Qual é a "força" que a vida de Hank não encontrou?

Gregory era um homem branco da classe média, de formação universitária, natural do nordeste americano. Sua infância foi emocionalmente difícil e ele cresceu irascível, manipulador e amargo. Era incapaz de formar relacionamentos, e tanto seu temperamento agressivo como sua natureza propensa a discussões mantinham as pessoas a distância. Isso lhe acentuou ainda mais o desprezo pela Vida e pelas outras pessoas, mas Gregory não parava para perguntar que papel ele próprio desempenhava em suas experiências.

Quando, por fim, seu temperamento e sua índole geniosa levaram a mulher com quem estava vivendo a abandoná-lo, Gregory caiu em profunda angústia, não só por causa dessa perda mas também porque reconheceu neste último evento a repetição de um padrão de há muito existente, em virtude do qual ele se via constantemente rejeitado. Resolveu enfrentar tanto o seu sofrimento quanto o seu padrão. Preparou-se para viver na solidão enquanto investigava em si mesmo as causas mais profundas de sua vida atribulada.

Quando emergiu, semanas depois, tanto suas percepções quanto seus valores tinham mudado. Começou a abrandar-se e, lentamente, seus velhos maneirismos foram desaparecendo. Com o passar dos anos, desenvolveu um modo de ser mais sensível em relação às pessoas. Seu cinismo deu lugar a uma alegria crescente, sua irritação se dissipou e as outras pessoas tornaram-se importantes para ele. Hoje ele é uma pessoa produtiva e tira sua força das contribuições que dá aos seus companheiros.

Essas mudanças não ocorreram facilmente. A transição, em Gregory, de uma pessoa geniosa, manipuladora e desdenhosa para uma pessoa mais solícita e obsequiosa foi uma jornada através da dor que requereu muita coragem. Todavia, ao empreender essa jornada, ele mudou sua vida. Do ponto de vista da consciência de Gregory, o fluxo uniforme da sua vida foi significativamente alterado pela determinação de cultivar suas novas percepções. A "força" que alterou o "movimento uniforme" da vida de Gregory foi a sua decisão de penetrar conscientemente em sua vida. Sem essa decisão, a vida dele teria continuado, como a de Hank, no curso inconsciente que seu carma, e suas respostas às situações geradas por este, houvesse criado para ele.

É apropriado interpretar a primeira lei do movimento – que descreve o movimento idealizado de um objeto físico – dessa maneira? Não será a primeira lei do movimento, assim interpretada, uma simples metáfora que serve para descrever convenientemente uma dinâmica não-física? Ela é mais do que isso. É o reflexo, na realidade física – no mundo dos objetos e fenômenos físicos – de uma dinâmica não-física mais vasta que opera em domínios não-físicos. É a física da alma. Quando são entendidas com a ordem superior de lógica e compreensão do ser humano multissensorial, a ciência e suas descobertas revelam as mesmas riquezas que a Vida exibe por toda a parte e incessantemente.

A percepção da personalidade multissensorial não é segmentada. O ser humano multissensorial, por exemplo, vê que os paradigmas que formam a história da ciência revelam também a história da maneira como a nossa espécie se viu a si mesma em relação ao Universo: a astronomia ptolomaica reflete uma espécie que vê a si mesma como centro do Universo; a astronomia copernicana reflete uma perspectiva mais avançada e interdependente de uma espécie que vê a si mesma como parte do movimento do Universo; a física newtoniana reflete uma espécie que confia em sua capacidade de captar as dinâmicas do mundo físico por via do intelecto; a relatividade reflete uma espécie que compreende a relação limitadora entre as percepções absoluta e personalizada do mundo físico; e a física quântica reflete uma espécie que se está tornando cônscia da relação de sua consciência com o mundo físico.

Em outras palavras, do ponto de vista do ser humano multissensorial, as descobertas da ciência iluminam tanto as experiências interiores quanto as exteriores, tanto as dinâmicas físicas quanto as não-físicas. Uma descoberta fundamental da óptica, por exemplo, é que o branco e o preto não são cores, como o azul, o verde e o vermelho. O branco é uma combinação de todas as cores do espectro de luz visível, enquanto o preto é a ausência desse espectro e, portanto, também do branco. Em outras palavras, o branco é uma integração de todas as formas visíveis de radiância, enquanto o preto é a ausência de radiância.

Que dinâmicas não-físicas essa descoberta ilumina?

Associamos o branco à pureza, à bondade e à retidão. O branco é o símbolo da energia positiva e protetora. Vestimos de branco os heróis e as heroínas. O branco representa a plenitude do espírito. Associamos Deus, os mensageiros de Deus e o Céu ao branco. Pintamos os Anjos com roupas brancas. Associamos o preto ao mal. Vestimos de preto os vilões. O preto é o símbolo da destruição. Quando ocorre uma catástrofe, dizemos que é um dia negro. O preto representa o desespero, a ira e a raiva, que são a ausência do amor, da compaixão e do perdão. Dizemos que a pessoa que sente essas coisas está com o humor negro.

Dizemos que a "Idade das Trevas" foi um tempo em que a "luz da razão" esteve ausente. Chamamos ao sofrimento de uma psique dilacerada, de uma psique sem radiância, "a noite escura da alma". Chamamos ao Demônio Príncipe das Trevas e pensamos no Inferno como um lugar onde não chega a Luz de Deus.

Será, então, possível que a percepção do branco como uma integração ou uma perfeição e a do preto como uma ausência estejam limitadas, em precisão e aplicabilidade, aos fenômenos físicos da luz e da escuridão? Não. A linguagem, a mitologia, a religião e a ciência reconhecem no branco um reflexo da integração, ou totalidade, ou perfeição, e no preto um reflexo da ausência disso. A personalidade multissensorial vê diretamente que cada um desses modos de compreensão reflete a mesma coisa.

A personalidade multissensorial vê a Divindade, ou Deus, ou a Inteligência Divina, ou seja qual for a palavra que ela escolha para expressar isso, como Luz. Vê aqueles através de quem a Divindade flui conscientemente, como Cristo, Buda e Krishna, como seres de Luz, seres de plenitude, integração e perfeição. Vê, pois, no branco da ciência um reflexo, no tempo, no espaço e na matéria, da totalidade, integração e perfeição da Divindade atemporal. Vê o mal, a ira, o desespero, a destruição e a raiva como a ausência de Luz. Vê, pois, no preto da ciência, um reflexo, no mundo dos fenômenos físicos, da imperfeição, da ausência de Luz.

A personalidade multissensorial vê as mesmas relações, cada qual refletindo o mesmo mundo, onde quer que olhe. A personalidade pentassensorial não consegue ver desse modo e, portanto, suas lógicas e compreensões não são tão abrangentes. A natureza da totalidade e da falta desta e os efeitos de cada uma delas não são discerníveis, pelo estudo dos fenômenos físicos, para uma personalidade incapaz de ver que tanto os fenômenos físicos como as relações entre eles são, simultaneamente, partes e reflexos de padrões de vida mais amplos.

A personalidade não-integral vive num estado de fragmentação, tal como é representado pelas cores individuais ou pela combinação delas. A personalidade não-fragmentada vive num estado de totalidade, tal como é representado pela cor branca. A personalidade que perde o contato com sua alma, que perde o contato com sua Luz, é uma personalidade que se tornou capaz de fazer o que chamamos de mal, representado pelo preto.

O que chamamos de mal é a ausência de Luz, de amor, em todos os casos. Quando falamos poeticamente de Luz, associamo-la à pureza, à intuição e à inspiração Divina. Esse tipo de Luz não é, como veremos, meramente poético. É real.

Uma alma pode achar difícil trilhar o caminho da Luz no curso de uma encarnação. Pode achar que aprender a viver na Luz é um processo difícil. Pelas escolhas que faz enquanto está encarnada na Terra – a escolha da ira em vez do perdão, por exemplo, ou da condenação em vez da compreensão – a alma acumula carma negativo. Ao deixar o corpo, ela permanece envolta na qualidade de Luz que adquiriu pelas escolhas que fez quando estava na Terra. Quando essa alma tiver de criar outra personalidade, precisará criar uma personalidade tirada dessa fonte. Criará, pois, uma personalidade com mais limitações.

Uma personalidade com limitações de consciência achará o que chamamos de mal mais atraente, ao contrário do que achará uma personalidade com uma consciência mais expandida. A tentação de trilhar esse caminho será forte para tal personalidade. Todas as almas são tentadas, mas o indivíduo com limitações de consciência achará mais atraente penetrar no campo magnético do medo porque não reconhece o medo pelo que ele é. Aceitá-lo-á como algo mais, como algo que é normal na Vida.

A maneira como compreendemos o mal é, portanto, muito significativa. O mal precisa ser compreendido pelo que ele é: a dinâmica da ausência de Luz. Não é uma coisa que devamos preparar-nos para combater, fugir dela ou proscrevê-la. Compreender o mal como a ausência da Luz requer automaticamente que procuremos alcançar essa coisa chamada Luz.

A Luz consciente é igual à Divindade, à Inteligência Divina. Onde a Inteligência Divina está ausente, a escuridão manobra. Isso ocorre, simplesmente, porque existe a escuridão e nós tropeçamos nas trevas. A existência na escuridão não é permanente. Toda alma haverá de ser plenamente iluminada. Uma alma sem Luz sempre chegará a conhecer a Luz, porque em qualquer tempo é grande a ajuda prestada a cada alma. A Luz, como veremos, está continuamente cercando essa alma, ainda que não seja capaz de penetrá-la diretamente, e as pessoas que insistem em viver na escuridão têm muita ajuda ao seu dispor. O estímulo para fazer ingressar na Luz pelo menos um pensamento está presente o tempo todo. Por fim, ele sempre o faz.

Compreender que o mal é a ausência da Luz não significa que não se deva reagir ao mal.

Como reagir adequadamente ao mal?

O remédio para uma ausência é uma presença. O mal é uma ausência e, portanto, não pode ser curado com uma ausência. Quando odiamos o mal, ou alguém que está envolvido no mal, contribuímos para a ausência da Luz, e não para a sua presença. O ódio ao mal não diminui o mal – aumenta-o.

A ausência da Luz faz a personalidade sofrer. Há dor. Quando odiamos, imbuímo-nos desse sofrimento. O ódio ao mal afeta aquele que odeia. Torna-o uma pessoa odiosa, uma pessoa que também se afastou da Luz.

Compreender o mal como a ausência da Luz não exige que você se torne passivo ou indiferente às más ações e ao mau comportamento. Se você vir alguém maltratando uma criança ou uma pessoa sendo oprimida, por exemplo, é apropriado fazer o que puder para proteger a criança ou ajudar a pessoa; mas, se em seu coração não existe compaixão também por aqueles que maltratam ou oprimem – por aqueles que não têm compaixão – você não se torna igual a eles? Ter compaixão é ser movido pelos atos do coração, pela energia do amor. Quando entramos em choque com as trevas, sem compaixão, nós próprios entramos nas trevas.

Compreender que o mal é a ausência da Luz desafia a percepção do poder como uma coisa externa. É possível suplantar uma ausência? Uma pessoa má pode ser presa, mas pode-se prender o mal? Um grupo mau pode ser aprisionado, mas pode-se aprisionar o mal? Um coração compassivo é mais eficaz contra o mal do que um exército. Um exército pode combater outro exército, mas não pode combater o mal. Um coração compassivo pode combater diretamente o mal – pode trazer Luz para onde não existe Luz.

Compreender o mal como a ausência da Luz requer o exame das escolhas que fazemos a todo o momento em termos de aproximação ou afastamento da Luz. Permite-nos olhar com compaixão para aqueles que se envolvem em atividades más, mesmo enquanto contestamos suas atividades, e assim nos protege de criar carma negativo. Permite-nos ver que é em nós mesmos que devemos começar a tarefa de eliminar o mal. Esta é a correta reação ao mal.

A ordem superior de lógica e compreensão que caracteriza o ser humano multissensorial permite-lhe aprender mais depressa do que o ser humano pentassensorial é capaz de aprender a partir do que lhe dizem os seus sentidos e do que o seu intelecto faz com isso. Evoluímos até o ponto máximo a que o intelecto pode levar-nos. Exploramos o escopo e a profundidade da realidade pentassensorial e descobrimos as limitações do poder exterior.

A próxima fase de nossa evolução nos conduzirá às experiências do ser humano multissensorial e à compreensão da natureza do poder autêntico.

Isso requer o coração.

Criação

5

Intuição

A percepção central do ser humano multissensorial é a de que não está sozinho. O ser humano multissensorial não precisa confiar unicamente em suas percepções e interpretações dos eventos para orientar-se, porque ele está em comunhão consciente com outras inteligências, mais adiantadas. Isso não significa que o ser humano multissensorial esteja livre de escolher, a cada instante, o curso de sua vida, mas sim que ele tem acesso consciente a uma ajuda compassiva e impessoal na análise de suas escolhas possíveis – de suas prováveis conseqüências – e na exploração das diferentes partes de si mesmo.

O ser humano pentassensorial tampouco se acha sozinho, porém não está cônscio da assistência que lhe está sendo dada o tempo todo e, por isso, é incapaz de obter conscientemente essa assistência. O ser humano pentassensorial deve aprender basicamente por meio de suas experiências físicas, e essa aprendizagem é demorada, porque as lições assim aprendidas lhe chegam através da densidade da matéria física. A pessoa que precisa aprender a lição da confiança, por exemplo, terá desconfiança dos outros. Essa desconfiança criará mal-entendidos que ocasionarão tensões e experiências desagradáveis. O ser humano pentassensorial continuará a sofrer os aborrecimentos oriundos de sua desconfiança em relação aos outros até perceber, nesta ou noutra vida, através de interações com os outros, a fonte desses aborrecimentos e empenhar-se em modificá-la.

Para dar um exemplo, a pessoa incapaz de confiar interpretará erroneamente as palavras e as ações dos outros. Se a esposa diz ao marido que precisa ir a uma reunião para tratar de negócios, embora preferisse ficar com ele, o marido, se for incapaz de confiar, interpretará suas palavras como rejeição ou como um sinal de que o trabalho dela é mais importante que ele. Esse mal-entendido resulta da sua incapacidade de aceitar o que a esposa lhe disse, de sua incapacidade de confiar nela. À medida que a esposa se vê continuamente às voltas com os mal-entendidos do marido, estes geram em seu íntimo sentimentos de surpresa, desgosto, frustração, raiva, ressentimento e, por fim, a rejeição que o marido percebera erroneamente. Desse modo, o marido, através da dinâmica da desconfiança, torna real o seu medo mais significativo.

A perda de um cônjuge, de um amigo ou de um colega devido à desconfiança não é uma punição da desconfiança – é o resultado da recusa a encarar conscientemente a questão da confiança. É uma experiência decorrente da atitude de optar repetidamente por desconfiar em vez de confiar. A pessoa desconfiada criará situações desagradáveis ou dolorosas até que, finalmente, elas a obriguem a encarar a questão da confiança. Isso pode requerer cinco experiências penosas, ou cinco vidas de experiências penosas, ou cinqüenta, mas, por fim, esse caminho conduzirá à grande lição da confiança.

A mesma dinâmica se aplica a qualquer característica da personalidade que não seja uma expressão de compaixão e harmonia. Uma personalidade irascível, por exemplo, criará situações desagradáveis, ou mesmo trágicas, enquanto sua ira não for encarada e removida em bloco para dar lugar à compaixão e ao amor, à energia de sua alma. O mesmo se aplica às personalidades gananciosas, às personalidades egoístas, às personalidades manipuladoras, e assim por diante. Esse é o modo como temos evoluído até agora.

O ser humano multissensorial pode aprender mais depressa do que o ser humano pentassensorial. Com a ajuda que está ao seu dispor, a personalidade multissensorial pode compreender mais depressa o significado de suas experiências, a maneira como elas tomam forma, o que representam e o papel que ela desempenha na criação das mesmas. Não precisa passar por doze, vinte ou duzentas experiências penosas para aprender a lição maior da confiança, da responsabilidade ou da humildade. Isso não significa necessariamente que as personalidades multissensoriais não passem por situações penosas, mas sim que têm a capacidade de aprender mais depressa com elas do que as personalidades pentassensoriais e, dessa forma, se capacitam mais rapidamente a escolher com mais sabedoria e compaixão.

Não é preciso ser capaz de uma comunicação de viva voz, por assim dizer, para alcançar as fontes de orientação e assistência que nos circundam. Esse meio está ao alcance do ser humano multissensorial adiantado, mas o caminho para a aquisição de tal capacidade é um caminho jubiloso que consiste em desenvolver a consciência de que essa orientação sábia e compassiva está sempre ao nosso dispor, e em aprender a incorporá-la conscientemente em nossa vida.

Como isso ocorre?

A personalidade pentassensorial aceita todo impulso e intuição como seu, como oriundo de sua psique. A personalidade multissensorial sabe que nem sempre é esse o caso. Impulsos, pressentimentos, revelações súbitas e revelações sutis nos têm auxiliado em nossa trajetória evolutiva desde a origem de nossa espécie. O fato de não termos reconhecido a orientação que nos chegou dessa maneira é uma conseqüência de vermos a realidade apenas através dos cinco sentidos. Do ponto de vista pentassensorial, não existe nenhuma outra fonte da qual nos possam advir as intuições e os pressentimentos.

Do ponto de vista multissensorial, intuições, revelações, pressentimentos e inspirações são mensagens da alma, ou de inteligências adiantadas que auxiliam a alma em sua jornada evolucionária. A personalidade multissensorial, portanto, venera a intuição de um modo que a personalidade pentassensorial não o faz. Para a personalidade pentassensorial, as intuições são curiosidades. Para a personalidade multissensorial, elas são sugestões de uma perspectiva de compreensão e compaixão maiores que as suas, bem como vínculos com essa perspectiva.

Para a personalidade pentassensorial, as revelações intuitivas, ou pressentimentos, ocorrem de modo imprevisível e não se pode contar com elas. Para a personalidade multissensorial, as revelações intuitivas são inscrições, em sua consciência, de uma orientação cheia de amor que está continuamente ajudando e promovendo seu crescimento. Assim, a personalidade multissensorial se empenha em aumentar sua consciência dessa orientação.

O primeiro passo neste sentido é você tornar-se consciente do que está sentindo. Seguir seus sentimentos o levará à fonte de onde eles brotam. Só através das emoções você poderá encontrar o campo de força de sua própria alma. Tal é, em suma, a travessia humana.

O marido que não é capaz de confiar, por exemplo, pode ter sentido raiva, vergonha, ressentimento ou frieza em relação à esposa, quando ela lhe falou da reunião. Se tivesse conseguido vivenciar conscientemente seus sentimentos, desprender-se deles, observá-los como correntes de energia fluindo através de seu sistema, teria sido capaz de perguntar a si mesmo: "Por que a notícia dessa reunião me afeta desse modo?" Isso lhe teria permitido descobrir que seus sentimentos estavam refletindo uma impressão de rejeição, ou de ser menos importante para sua esposa do que a referida reunião.

Se ele, então, houvesse reexaminado a mensagem da esposa teria visto que ela lhe dissera que preferiria ficar com ele, mas não podia. Isso lhe teria permitido perguntar: "Então, por que estou tão perturbado?", e o teria conduzido à resposta: "Porque não confio em que ela realmente preferiria ficar comigo." Desse modo, o fato de tornar-se consciente de seus sentimentos, em vez de manifestá-los inconscientemente, tê-lo-ia conduzido ao seu problema em relação à confiança.

Obtida essa revelação, ele teria perguntado a si mesmo: "Minha experiência com minha esposa apóia a suspeita de que ela não esteja sendo sincera comigo?" Se a resposta a essa pergunta houvesse sido: "Não, minha experiência é que ela é uma pessoa íntegra", o marido teria conseguido ver que a dinâmica em movimento dentro dele não se relacionava com sua esposa, embora as palavras desta a tivessem acionado. Isso lhe teria permitido ver a verdadeira intenção de sua esposa, e seus sentimentos para com ela ter-se-iam abrandado. A reação da esposa teria sido de intimidade com um marido amoroso, em vez do choque causado pela rejeição de sua intimidade por um marido hostil.

Se ele tivesse seguido esse curso, não teria arruinado sua tarde, nem seu casamento. Teria sido capaz de aprender com suas emoções, e com suas perguntas a respeito delas, a mesma lição que finalmente aprenderia através das experiências desagradáveis que resultaram de sua falta de confiança. Teria sido capaz de ver, na estrutura de uma situação, os efeitos da desconfiança e os efeitos da confiança.

Cada pergunta que uma pessoa faz – por exemplo: "Por que

a notícia dessa reunião me afeta desse modo?", "Por que estou tão perturbado?" – invoca orientação. Todas as vezes que procura orientação, você a recebe. Todas as vezes que pergunta a si mesmo: "Qual é a minha motivação?", você pede ao Universo: "Ajude-me a ver", e a ajuda vem. Nem sempre você pode ser capaz de ouvir as respostas às suas perguntas quando as faz, e nem sempre as respostas vêm da maneira esperada, mas elas sempre vêm. Às vezes uma resposta ocorre na forma de um sentimento – um sentimento de sim ou um sentimento de não – às vezes na forma de uma lembrança ou de um pensamento que, no momento, parece fortuito, às vezes num sonho e às vezes na forma de uma percepção inspirada por uma experiência que irá ocorrer no dia seguinte.

O intelecto está destinado a expandir as percepções, a auxiliar nosso crescimento em termos de força e complexidade perceptivas, e não a prejudicar. As experiências do intelecto são experiências de conhecimento. Conhecimento é poder e, para cada nível de conhecimento, somos responsáveis pela maneira como a usamos. O conhecimento que simplesmente penetra em nosso ser e não é, de um modo ou outro, processado e usado em benefício dos outros, pode ter um efeito seriamente pernicioso sobre o nosso corpo. As obrigações cármicas criadas pelo mau uso deliberado do conhecimento, pelo ato de prejudicar intencionalmente o próximo ou induzi-lo à discórdia, são maiores do que as que são geradas na ignorância.

Num mundo que compreende o poder como coisa externa, o intelecto funciona quase sempre sem a influência compassiva do coração. Isso cria situações nas quais o poder intelectual é usado como arma para ferir os outros, para exercer a força de vontade sem ternura. Quando o intelecto é utilizado para projetar, desenvolver ou produzir armas, por exemplo, não está sendo usado para o fim ao qual foi destinado. Quando uma indústria, ou uma fábrica, é projetada, construída ou operada sem consideração por seus efeitos sobre a Terra, sobre a vida humana e sobre o ambiente, o intelecto não está sendo usado para o fim ao qual foi destinado. Quando planejamos auferir lucros à custa dos outros, não estamos usando nosso intelecto para o fim ao qual ele foi destinado.

Num mundo de seres humanos pentassensoriais que compreendem o poder como coisa externa, o conhecimento intuitivo não é visto como conhecimento e, portanto, não é processado.

Não é submetido ao intelecto. Não é expandido, estudado ou convertido em técnica e disciplina. Assim como fomos ensinados a desenvolver e empregar o raciocínio – a refletir sobre os problemas até achar-lhes a solução – podemos também aprender a desenvolver e empregar a intuição – a pedir e receber orientação. Assim como existem técnicas para disciplinar a mente, tais como o pensamento analítico, o estudo, a repetição e a consideração do mecanismo, existem também técnicas para atrair e disciplinar a intuição.

A primeira delas consiste em exaltar a purificação emocional. Quando estamos emocionalmente bloqueados e não podemos, ou não queremos, saber o que sentimos, ou quando bloqueamos tão eficazmente o que sentimos que ficamos insensíveis, tornamo-nos pessoas negativas e criamos também um corpo fisicamente doentio. Se mantemos as emoções claras, a negatividade emocional deixa de existir em nós e nos tornamos cada vez mais leves. Isso abre nossa trilha intuitiva, porque nos permite ter uma clara consciência do amor. Aproxima-nos do amor incondicional e nos torna inofensivos. Melhora a qualidade da nossa freqüência, por assim dizer, e, dessa forma, a orientação que recebemos é clara e desobstruída quando entra em nosso sistema.

Isso exige que nos libertemos diariamente de nossos impactos emocionais. Assim como eliminamos os resíduos e as toxinas do nosso corpo físico, eliminamos também nossos resíduos e toxinas emocionais ao nos desvincularmos emocionalmente de negócios não concluídos, evitando ir dormir com raiva, procurando não nos sentirmos emocionalmente contaminados e aprendendo a trabalhar com nossas correntes de energia emocionais e a respeitá-las.

A segunda é um programa de purificação nutricional. Estar intoxicado fisicamente anula a intuição.

A terceira é respeitar a orientação que recebemos. A purificação emocional e física leva à intuição, e esta leva a aprender a responder. Devemos estar dispostos a ouvir o que a nossa intuição diz e a agir de conformidade com o que ouvimos. Muitas pessoas não querem ouvir o que pode ser ouvido facilmente e, por isso, negam ter ouvido alguma coisa.

A quarta é permitirmo-nos uma orientação de abertura para com a nossa vida e o Universo, abordarmos as questões de nossa vida com um sentimento de fé e confiarmos em que existe uma razão para tudo o que está acontecendo e que essa razão, em seu âmago, é sempre compassiva e boa. Esse é um pensamento essencial que deve estar presente para ativar e cultivar a intuição.

Que é intuição, e como funciona?

Intuição é uma percepção para além dos sentidos físicos destinada a ajudar-nos. É aquele sistema sensorial que opera sem os dados fornecidos pelos cinco sentidos. Nosso sistema intuitivo é parte da nossa encarnação. Quando deixarmos o nosso corpo, deixaremos para trás o sistema intuitivo que foi desenvolvido para nós, do mesmo modo que deixaremos para trás a nossa personalidade, porque ela deixará de ser necessária.

A intuição serve a muitos propósitos. Ela serve à sobrevivência. Impele-nos a buscar aquilo que não tem nenhuma razão aparente para que possamos sobreviver. Pressentimentos sobre o perigo, por exemplo, sobre o que é arriscado e o que não o é, sobre a rua que oferece segurança e a que não a oferece ou sobre a necessidade de verificar o motor do carro ajudam-nos a permanecer no mundo físico.

A intuição serve à criatividade. Diz-nos qual livro devemos comprar para o nosso projeto. Diz-nos onde encontrar o colega que precisamos encontrar e que idéias de um campo de conhecimento irão completar as idéias de um outro campo. Ela é a sugestão de que uma determinada pintura deve ser feita em tom cinza e outra em tom roxo. É a percepção de que uma idéia que nunca foi testada antes poderia funcionar.

A intuição serve à inspiração. É a resposta súbita a uma pergunta. É o significado que toma forma na névoa da confusão. É a Luz que penetra a escuridão. É a presença do Divino.

A intuição pode ser imaginada como uma espécie de rede elétrica que pode ser usada por várias fontes. Uma delas é a alma. A intuição é um transmissor-receptor portátil, por assim dizer, entre a personalidade e a alma. Isso ocorre através do eu superior.

O eu superior é o elo de ligação quando a alma fala à sua personalidade. É o diálogo entre a personalidade e seu eu imortal. A comunicação personalidade-alma é a experiência do eu superior, mas a personalidade não se comunica com a plenitude de sua alma.

A energia da alma não encarna em sua totalidade. Para encarnar, a alma cria uma personalidade das partes de si mesma que deseja curar no ambiente físico e das partes de si mesma que ela empresta ao processo de cura durante essa vida.

Tão poderosa é a energia da alma que não poderia entrar numa forma física sem, literalmente, explodir essa forma. Na criação da personalidade, a alma calibra partes de si mesma, reduz partes de si mesma, para assumir a experiência humana. Nosso eu superior é o aspecto da alma que está em nós, mas não é a plenitude da nossa alma. É um eu menor da alma. Assim, "eu superior" é outro termo para "alma", porém a alma é maior que o eu superior.

Imagine uma xícara, um galão e um tanque de água. O tanque é a alma. Um aspecto da alma torna-se o galão. Esse galão ainda é alma, mas não a plenitude da alma. É a parte da alma que está em missão, por assim dizer. A personalidade é a xícara. A xícara entra em contato com o galão, a alma do eu superior, mas não com a plenitude do tanque.

A comunicação entre a personalidade e sua alma é um processo intuitivo interior. É um processo inerente ao nosso sistema interno. Por exemplo, a tomada de decisão, que é o nosso processo, pode ser um processo intuitivo no qual colhemos dados de nossa mente, de nosso coração e de nossa intuição, confiando na orientação de nosso eu superior. Cada uma dessas fontes é parte do nosso sistema de energia total. Nossa personalidade e nosso eu superior pertencem à nossa alma.

A intuição também pode permitir à personalidade, através do seu eu superior, receber informações de outras almas de processo mais elevado, almas que não são a dela. Fontes de orientação outras que não a do nosso próprio eu superior podem ser encontradas na mesma estação de rádio, por assim dizer. Esse processo não é igual ao processo da intuição. É um processo de receber orientação através de canais intuitivos.

Receber informação através de canais intuitivos difere significativamente de receber informação através de processos intuitivos. Receber informação através de processos intuitivos é cozinhar em casa. Receber informação através de canais intuitivos é mandar trazer a comida.

A orientação que o ser humano multissensorial recebe através de processos intuitivos e através de canais intuitivos é tão essencial para o seu bem-estar e crescimento quanto a luz do sol e o ar puro. Através de sua intuição, o ser humano multissensorial alcança conscientemente a compreensão e a experiência da verdade.

O que é a verdade?

A verdade é aquilo que não nos contamina, mas nos dá o poder. Existem, então, graus de verdade, mas, genericamente, a verdade é aquilo que não causa dano algum. A verdade não pode causar dano.

O eu superior, ligado a mestres não-físicos, produz um nível de verdade que vale não só para você como poderia valer para quem quer que entrasse em contato com esse nível. Se você subtraísse tudo o que lhe é pessoal da orientação que recebe através dos canais intuitivos, ainda assim permaneceria um núcleo de verdade que se aplicaria aos outros ou, pelo menos, a presença de um amor incondicional, ao passo que muitas das informações que você recebe através de seu próprio processo intuitivo só serão eficazes para você. Tal é a diferença entre verdade pessoal e verdade impessoal. Ambas são verdades, mas a verdade pessoal pertence a você, enquanto a verdade impessoal pertence a tudo o que é, a cada pessoa. Precisamos da verdade para crescer, da mesma forma que precisamos de vitaminas, afeição e amor.

Às vezes, a verdade que nos vem através de processos intuitivos ou de canais intuitivos pode estar contaminada por nosso próprio medo. Cabe aqui aplicar o nosso intelecto. Em outras palavras, podemos pensar que estamos recebendo uma clara intuição, mas, se a examinarmos racionalmente, se a tomarmos à parte, poderemos ver que estamos reagindo à insegurança, do mesmo modo que a pergunta "Minha experiência com minha esposa apóia minha suspeita?" teria permitido ao marido ver que a origem de sua reação emocional era antes uma insegurança que a dinâmica de energia de sua esposa. As respostas que nos vêm através de nossos processos intuitivos ou de nossos canais intuitivos podem desafiar o que gostaríamos de fazer. Já o nosso eu inferior, nossa personalidade, não desafiará, mas racionalizará.

É natural que ascendamos a um nível no qual podemos aprender a distinguir entre as fontes da orientação que recebemos. A idéia de ser guiado pela verdade que é recebida intuitivamente parece insólita para a personalidade pentassensorial. A psicologia construída com base nas experiências da personalidade pentassensorial nem sequer reconhece a intuição no sentido em que reconhece, estuda e procura compreender a percepção física, a afetividade e a cognição. Para a personalidade multissensorial, é insólito *não* confiar nas verdades que ela recebe de seu eu superior e, através desse eu superior, das almas mais adiantadas.

A personalidade nunca está separada de sua alma, e a alma e suas personalidades são continuamente assistidas e guiadas pela compaixão e sabedoria impessoais. Isso se aplica tanto à personalidade pentassensorial quanto à personalidade multissensorial, porém a personalidade pentassensorial não está consciente de sua alma ou da orientação que recebe de seu eu superior e das almas mais adiantadas. A personalidade multissensorial está consciente de sua alma – busca alinhar-se com sua alma, tornar-se a corporificação física de seu eu superior – e invoca e recebe conscientemente a assistência cheia de amor de sua própria alma e das outras almas que a auxiliam.

6

Luz

A alma não é física, conquanto seja o campo de força do nosso ser. O eu superior não é físico, embora seja o modelo vivo do ser humano evoluído, a personalidade plenamente desperta. A experiência da intuição não pode ser explicada em termos dos cinco sentidos, porque a intuição é a voz do mundo não-físico. Assim, não é possível compreendermos nossa alma, nosso eu superior ou nossa intuição sem chegarmos a um acordo quanto à existência da realidade não-física.

O conhecimento, no sentido cognitivo, não pode provar a existência da realidade não-física, do mesmo modo que não pode provar a existência de Deus. A prova da realidade não-física não existe na dimensão em que a mente racional a procura. Assim, quando perguntamos, da perspectiva da personalidade multissensorial: "A realidade não-física existe?", o que de fato estamos perguntando é: "Se não posso provar a existência da realidade não-física, devo concluir que ela é um absurdo? Devo concluir que não existe resposta ou expandir-me ao nível no qual a resposta pode ser dada?"

Quando a mente faz uma pergunta que sugere um nível diferente de verdade, seja qual for a pergunta, a expansão sempre foi o caminho seguido pelo cientista, pelo investigador da verdade. A certa altura da nossa evolução, por exemplo, formulou-se a pergunta: "Existem formas de vida menores do que as que o olho pode ver?" Da perspectiva da percepção pentassensorial, a resposta foi: "Não." Alguém não aceitou essa resposta, e o microscópio foi inventado. Formulou-se então a pergunta: "Existem partes da natureza menores do que as que podem ser vistas através do microscópio?" Mais uma vez, da perspectiva da percepção pentassensorial, a resposta foi: "Não." Mas não paramos aí; pelo contrário, descobrimos e desenvolvemos uma rica compreensão dos fenômenos atômicos e subatômicos.

À medida que fomos criando os instrumentos que nos permitem ver, aquilo que outrora era considerado não-existente tornou-se existente, mas antes disso tivemos que expandir-nos. O desafio, e a tarefa, da mente avançada ou em expansão é alcançar um nível no qual uma pergunta que não pode ser respondida da perspectiva da compreensão aceita da verdade possa obter resposta.

O que é a realidade não-física?

A realidade não-física é o nosso lar. Viemos da realidade não-física, a ela retornaremos e a parte mais vasta do nosso ser reside e evolui atualmente na realidade não-física. Isso se aplica a cada um dos bilhões de seres humanos que vivem no planeta. Assim, a maior parte das nossas interações com os outros seres humanos ocorre na realidade não-física. Por exemplo, quando nutrimos pensamentos amorosos a respeito de alguém que nos é íntimo emocionalmente, como um membro da família, mudamos a qualidade da nossa consciência e isso contribui para o sistema de energia dessa pessoa.

Se uma filha que nutre ressentimento em relação ao pai, por exemplo, evolui para uma compreensão mais profunda de seu relacionamento com ele, tal como uma compreensão do papel cármico que ele desempenhou ao ativar nela uma lição importante de amor ou responsabilidade, e se a intenção dela de curar a si mesma e ao seu relacionamento com o pai é profunda e clara, não se pense, nem por um instante, que o pai não percebe isso, mesmo que ela não lhe fale a respeito. Ele não o percebe conscientemente, mas seu ser total sente o que ela está fazendo. Sua mente consciente pode senti-lo mediante súbitos momentos de sentimentalismo acerca de coisas sobre as quais ela não pensou antes, ou então ele pode olhar fotografias de sua filha de quando ela era criança e sentir um abalo no coração, mesmo que não perceba conscientemente o porquê de sentir o que está sentindo ou de fazer o que está fazendo.

Você participa dessa forma de permuta de bancos de dados, por assim dizer, com todas as almas que lhe são próximas e, até certo ponto, com todas as almas que estão em contato com sua vida. À medida que você muda o conteúdo de seu banco de dados e a informação que envia a uma alma, ela é processada através do próprio sistema dessa alma. É nesse nível que a causa e o efeito de suas intenções, a maneira como você escolhe moldar sua energia, influenciam os outros.

Como isso acontece?

Você é um sistema de Luz, como todos os seres. A freqüência de sua Luz depende de sua consciência. Ao mudar o nível de sua consciência, você muda a freqüência de sua Luz. Ao escolher perdoar alguém que o ofendeu, por exemplo, em vez de odiar essa pessoa, você muda a freqüência de sua Luz. Ao escolher sentir afeição por uma pessoa, em vez de distanciamento ou frieza, você muda a freqüência de sua Luz.

As emoções são correntes de energia com diferentes freqüências. As emoções que consideramos negativas, como o ódio, a inveja, o desdém e o medo, têm uma freqüência mais baixa, e menos energia, do que as emoções que consideramos positivas, como a afeição, a alegria, o amor e a compaixão. Quando optamos por substituir uma corrente de energia de baixa freqüência, como a cólera, por outra de alta freqüência, como o perdão, elevamos a freqüência de nossa Luz. Quando optamos por permitir que as correntes de energia de alta freqüência fluam através do nosso sistema, sentimos mais energia. Quando uma pessoa está desesperada, por exemplo, ou ansiosa, ela se sente fisicamente esgotada porque se fundiu com uma corrente de energia de baixa freqüência. Uma pessoa nessa situação tornase pesada e embotada, enquanto uma pessoa alegre transborda de energia e se sente feliz, porque está deixando fluir através de seu sistema uma corrente de energia de alta freqüência.

Diferentes pensamentos criam diferentes emoções. Pensamentos de vingança, violência e cobiça, ou pensamentos de usar os outros, por exemplo, criam emoções como a raiva, o ódio, o ciúme e o medo. Essas correntes de energia são de baixa freqüência e, por conseguinte, diminuem a freqüência da nossa Luz, ou consciência. Pensamentos criativos ou afetuosos invocam emoções de alta freqüência, como o apreço, o perdão e a alegria, e elevam a freqüência do nosso sistema. Se nossos pensamentos são pensamentos que nos atraem correntes de energia de baixa freqüência, nossas atitudes físicas e emocionais se deteriorarão e acarretarão doença emocional ou física, ao passo que pensamentos que nos atraem correntes de energia de alta freqüência criam saúde física e emocional.

Os sistemas de baixa freqüência tiram energia dos sistemas

de alta freqüência. Se não estamos cônscios de nossas emoções e pensamentos, nossa freqüência será diminuída por (perderemos energia para) um sistema de freqüência mais baixa que a nossa. Dizemos, por exemplo, que uma pessoa deprimida está "drenando" ou "sugando" energia. Um sistema de freqüência suficientemente elevada nos aliviará, acalmará ou revigorará devido ao efeito da qualidade de sua Luz sobre o nosso sistema. Tal sistema é "radiante".

Quando escolhemos nossos pensamentos, e quando selecionamos as correntes emocionais que iremos liberar e reforçar, determinamos a qualidade de nossa Luz. Determinamos os efeitos que exerceremos sobre os outros e a natureza da experiência de nossa vida.

A "Luz" representa a consciência. Quando não compreendemos uma coisa, dizemos que precisamos "trazê-la à luz". Se estamos confusos, dizemos que nosso processo "precisa de mais luz". Quando uma idéia súbita nos reordena os pensamentos, dizemos que "a luz se fez", e quando uma pessoa é plenamente consciente dizemos que é "iluminada". Quando liberamos um pensamento negativo, ou um sentimento negativo, liberamos correntes de energia de baixa freqüência do nosso sistema e isso permite, literalmente, um aumento na freqüência da nossa consciência.

Pensar no Universo em termos de luz, de freqüências e de energias de diferentes freqüências – nos termos que se nos tornaram familiares pelo estudo da luz física – não é um procedimento meramente metafórico. É uma maneira natural e poderosa de pensar no Universo, porque a luz física é um reflexo da Luz não-física.

A luz física não é a Luz da nossa alma. A luz física viaja a certa velocidade. Não pode ir mais depressa. A Luz da nossa alma é instantânea. Não existe tempo entre a intenção afetuosa de uma filha para com seu pai e a percepção dessa intenção pela alma do pai. A instantaneidade é, pois, uma parte considerável de nossa vida. Na realidade não-física, as decisões que tomamos em termos de como usar nossa energia têm efeitos instantâneos. Elas são unas com quem e com o que somos.

As energias que emanam da nossa alma tem o caráter da instantaneidade. As energias que emanam da nossa personalidade seguem o curso da luz física. O medo, por exemplo, é uma experiência da personalidade. A alma pode estar confusa e longe da Luz, mas não sente medo. Se a alma experimenta uma ausência de Luz em uma parte de si mesma, a personalidade experimentará essa ausência de Luz como medo. Esse medo pertence à personalidade e, portanto, ao espaço e ao tempo. O amor incondicional pertence à alma, é instantâneo, Universal, ilimitado.

Assim como a luz visível é uma porção, como uma oitava, num *continuum* de energia de freqüências graduadas que se estendem abaixo e acima do que o olho pode ver, o *continuum* da Luz não-física se estende abaixo e acima, por assim dizer, da amplitude de freqüências em que o ser humano existe. A experiência humana é uma amplitude particular de freqüências no *continuum* da Luz não-física, da mesma forma que a luz visível é uma amplitude particular de freqüências no *continuum* da luz física.

Outras inteligências habitam outras amplitudes de freqüências. Essas formas de Vida não existem distantes de nós. Assim como a luz infravermelha, a luz ultravioleta, a luz de microondas e muitas, muitas outras freqüências e amplitudes de freqüências coexistem com o espectro da luz visível, mas são invisíveis para nós, as formas de Vida que se caracterizam por diferentes amplitudes de freqüências de Luz não-física coexistem conosco, mas são invisíveis para nós. No lugar onde você está sentado existem muitos e diferentes seres, ou grupos de seres, cada qual ativo e evoluindo em sua própria realidade e à sua própria maneira. Essas realidades se fundem com a nossa, da mesma forma que a radiação de microondas existe lado a lado com a luz visível, mas é imperceptível ao olho humano.

Nossa espécie está evoluindo de uma amplitude de freqüências no espectro da Luz não-física para outra amplitude de freqüências mais elevada. É a evolução da personalidade pentassensorial para a personalidade multissensorial. A personalidade multissensorial é mais radiante e energética que a personalidade pentassensorial. Está consciente da Luz de sua alma e é capaz de perceber formas de Vida que são invisíveis para a personalidade pentassensorial e de comunicar-se com elas.

O Universo é uma hierarquia que não implica superior e inferior. Entre os níveis da hierarquia existe a compreensão de que as percepções superiores podem ser uma parte, e são estimuladas a sê-lo, da experiência dos espíritos do plano inferior enquanto eles se empenham em expandir sua própria consciência. Assim, há sempre um nível de assistência superior. Você está envolvido nesse processo, embora sua personalidade não tenha consciência disso, porque ele ocorre no nível da sua alma.

Há muita coisa de que a personalidade pentassensorial não tem consciência, e muita coisa de que mesmo uma personalidade multissensorial dotada de plenos poderes não se lembrará até regressar, no fim de sua vida, à realidade não-física. Você não está consciente das muitas vidas das personalidades passadas e futuras de sua alma, por exemplo, mas a intensidade de algumas partes do seu ser deriva diretamente dessas vidas, tal como ocorre com alguns de seus relacionamentos. Se um aspecto do seu ser se manifesta fisicamente, como, por exemplo, o aspecto de você-como-professor ou você-como-guerreiro, existem, então, aspectos não-físicos interligados que também estão ativos e participam da dinâmica do ensino ou da guerra a partir dos reinos não-físicos de que você é parte e aos quais está ligado. O aspecto do eu que você assume num momento físico representa uma força muitas e muitas vezes mais significativa e complexa.

Nossa assistência não-física provém de amplitudes de Luz não-física de freqüência superior à nossa. As inteligências que nos assistem e guiam, inconscientemente no caso da personalidade pentassensorial e conscientemente no caso da personalidade multissensorial, pertencem a uma ordem da criação superior à nossa e, por isso, podem proporcionar-nos uma qualidade de orientação e assistência que não podemos dar uns aos outros.

A personalidade pentassensorial associa a posição numa hierarquia em níveis graduados de merecimento, e associa uma posição inferior numa hierarquia a menos merecimento, menos capacidade de controlar os outros e mais vulnerabilidade. Do ponto de vista do Universo, todos esses níveis da criação têm igual valor, todos são preciosos. Visto através de olhos dotados do poder autêntico, o ser com um nível superior na criação é aquele que tem maior capacidade de ver sem obstrução, maior capacidade de viver em amor e sabedoria e maior capacidade e vontade de ajudar os outros a evoluírem para o mesmo amor e a mesma Luz.

Cada alma humana dispõe tanto de guias quanto de Mestres. Um guia não é um Mestre. Os guias são o que se pode chamar de peritos em certos campos, aos quais recorremos para consulta. Se você está escrevendo um livro, por exemplo, ou criando um projeto, ou organizando um evento, um guia que tem a qualidade do entusiasmo, da criatividade ou da inspiração que você deseja incorporar em seu trabalho está ao seu dispor.

Os Mestres operam num plano de evolução mais pessoal, por assim dizer, embora sejam energias impessoais que nós personalizamos, com as quais sentimos um relacionamento pessoal. Um Mestre não-físico nos aproxima da nossa alma. Chama a nossa atenção para o caminho vertical e para a diferença entre o caminho vertical e o caminho horizontal.

O caminho vertical é o caminho da percepção. É o caminho da consciência e da escolha consciente. A pessoa que escolhe promover seu crescimento pessoal, cultivar a percepção de seu eu superior, está num caminho vertical. O caminho vertical é o caminho da claridade. O potencial para a criação da claridade e a experiência de interagir com o nosso Mestre não-físico são uma só e a mesma coisa.

O caminho horizontal é o caminho que satisfaz a nossa personalidade. O homem ou a mulher de negócios, por exemplo, que dedica sua vida a amealhar dinheiro está num caminho horizontal. Não importa quão diversos seus empreendimentos possam tornar-se, eles são essencialmente idênticos. Se ganham dinheiro, agradam à personalidade; se perdem dinheiro, afligem a personalidade – mas não servem ao eu superior. Não favorecem seu crescimento espiritual.

A pessoa que procura relacionamentos apenas para gratificar suas próprias necessidades, como, por exemplo, suas necessidades emocionais ou sexuais, descobrirá que cada relacionamento é essencialmente idêntico, que as pessoas em sua vida são substituíveis, que as experiências com a primeira e as experiências com a segunda são essencialmente as mesmas. Este é o caminho horizontal. Cada nova experiência não é realmente nova. É sempre a mesma coisa. Experimentar relacionamentos em substância e profundidade requer uma abordagem e um relacionamento imbuídos de consciência e interesse pelo outro. Esse é o caminho vertical.

Isso não significa que a aprendizagem não ocorra em todas as situações e que, quando um caminho horizontal deixa de ser apropriado à aprendizagem de uma alma, essa alma não o deixará para trás. Mais cedo ou mais tarde, cada alma se voltará para o poder autêntico. Toda situação serve a essa meta, e toda alma haverá de alcançá-la. O caminho vertical principia com a decisão de fazer isso conscientemente.

Guias e Mestres assistem a alma em cada fase de sua evolução. O número de guias e Mestres que estão ao dispor de uma alma depende do que ela se propõe a realizar e de seu nível de percepção. As almas que tomam sobre si projetos de maior magnitude atraem mais assistência.

Sua alma conhece seus próprios guias e Mestres. Ela lhes atraiu a sabedoria e a compaixão ao cartografar a encarnação que se tornou você, e a parte de sua alma que é você será acolhida em seus braços solícitos quando a encarnação que é você chegar ao fim – quando você voltar para casa. A todo o momento você recebe orientação e assistência cheias de amor. A todo o momento você é impelido e encorajado a avançar em direção à Luz.

As decisões que você toma são da sua livre escolha. Um Mestre não-físico não pode, nem poderia, viver sua vida por você. Ele o auxiliará através das experiências de aprendizado de sua vida. As respostas que ele pode proporcionar-lhe dependem das perguntas que você faz – questionando suas próprias motivações, orando ou meditando, mantendo-se aberto para a resposta ou perguntando diretamente, como no caso do ser humano multissensorial que desenvolveu essa capacidade. Quando você faz uma série de perguntas, uma série de portas se abrem à sua frente; quando você faz outras perguntas, outras portas se abrem.

Em cada caso, seu Mestre – ou Mestres – o aconselhará com compaixão e clareza impessoais. Ajudá-lo-á a examinar os resultados prováveis de cada escolha que você faz. Tocará seus sentimentos de maneira que conduzirão sua percepção a áreas que precisam ser curadas. Responderá às suas perguntas, mas você deverá fazê-las e, portanto, dar direção à sua própria energia. Ele o aconselhará quanto aos caminhos que mais provavelmente conduzirão a determinados resultados e continuará a aconselhá-lo com sabedoria e compaixão, sejam quais forem as escolhas que você fizer.

Um Mestre não pode criar nem remover o carma por você. Nenhum ser, nem mesmo um Mestre não-físico, pode assumir a responsabilidade pela sua vida, pelo modo como você escolhe usar sua energia, mas um Mestre não-físico pode ajudá-lo a compreender o que suas escolhas e suas experiências representam. Pode proporcionar-lhe o conhecimento que lhe permitirá escolher com responsabilidade e sabedoria. Assim, a capacidade de atrair conscientemente orientação e assistência não-física, de comunicar-se conscientemente com um Mestre não-físico, é um tesouro indescritível, um tesouro que está além das palavras, um tesouro que não tem preço.

Cada decisão que você toma o move na direção de sua personalidade ou na direção de sua alma. Cada decisão que você toma é uma resposta às perguntas: "Como você escolhe aprender a amar?", "Como você escolhe aprender a alcançar o autêntico poder – através da dúvida e do medo ou através da sabedoria?" Este é o cerne da história do Jardim do Paraíso. A Árvore da Verdade, oferecida a toda a espécie humana, disse: "Aprendei! De que modo quereis aprender?"

Este é o primeiro ato fundamental do livre-arbítrio: Como você quer aprender? A pergunta continua de pé em cada uma das situações da nossa vida. É a eterna pergunta. É, por assim dizer, o mais longo espetáculo em cartaz na Broadway. Seja qual for a situação, seja qual for o momento, a pergunta do Jardim do Éden continua, continua, continua. A cada vez, a oportunidade contida em cada mínima circunstância é: "Você escolherá o caminho da dúvida e do medo ou escolherá a Árvore da Sabedoria?"

A Árvore da Vida, do Conhecimento, da Verdade ou da Sabedoria é uma oportunidade, uma questão arquetípica. Adão e Eva, os princípios masculino e feminino no Jardim do Éden, colheram a maçã simbolicamente e fizeram mau uso do conhecimento. Sua escolha foi fazer mau uso do conhecimento e, por isso, criaram a vergonha. Isso não fazia parte do projeto humano até aquele instante. O mau uso do conhecimento, da verdade, da sabedoria produziu embaraço e vergonha. Isso originou a culpa. A culpa originou o medo, e assim começou a evolução da espécie humana.

A decisão de colher a maçã foi uma decisão da ordem superior da evolução, uma ordem que não pode ser concebida, nem sequer apreendida, no mesmo contexto em que compreendemos uma decisão humana. Falar de decisões nos termos de uma vida humana individual, ou nos termos de um conjunto mais amplo de vidas humanas individuais, é muito diferente de falar sobre como a função da evolução e da aprendizagem começou há bilhões de anos atrás com a espécie humana.

A decisão de colher a maçã, na história do Jardim do Éden, não se refere a uma decisão tomada por dois seres humanos que realmente existiram nesse cenário. Não foi uma decisão que você ou eu poderíamos tomar em termos de: "Estou escolhendo isto ou aquilo?" A história do Jardim do Paraíso descreve o início da experiência da Terra e da espécie humana como um todo. Refere-se a princípios de energia que surgiram em conjuntos mais amplos de consciência de grupo que tinham tensão, que tinham energias formativas, energias criativas. No processo de formar as suas polaridades, as quais se tornariam as polaridades da experiência humana, a dúvida e o medo se opuseram à verdade e à Luz, e assim tomaram forma.

Não é inadequado, porém, compreender a história do Jardim do Éden em termos de escolhas humanas entre a dúvida e o medo, por um lado, e a sabedoria, por outro, visto que a escolha de aprender através da sabedoria ou através da dúvida e do medo é parte de cada desafio isolado com que cada ser humano isolado se depara em cada minuto de cada dia, e esse desafio reflete as dinâmicas que, num nível de evolução mais amplo, vieram a surgir em nossa evolução.

Isso nos conduz à relação entre escolha, Luz e realidade física.

7

Intenção I

Nem todas as formas são físicas. Um pensamento, por exemplo, é uma forma. De que é formado um pensamento?

Um pensamento é energia, ou Luz, que foi moldada pela consciência. Não existe forma sem consciência. Há a Luz, e há a modelação da Luz pela consciência. Isso é criação.

A energia flui continuamente através de você, entrando pelo alto de sua cabeça e descendo através de seu corpo. Você não é um sistema estático. Você é um ser dinâmico de Luz que a todo o momento modela a energia que flui através de você. Você faz isso com cada pensamento, com cada intenção.

A Luz que flui através do nosso sistema é a energia Universal. É a Luz do Universo. Nós damos forma a essa Luz. O que sentimos, o que pensamos, o modo como nos comportamos, o que valorizamos e a maneira como vivemos a nossa vida refletem a maneira como estamos moldando a Luz que flui através de nós. São as formas de pensamento, as formas de sentimento e as formas de ação que damos à Luz. Elas refletem a configuração da nossa personalidade, do nosso ser espaço-temporal.

Mudamos o modo como moldamos a Luz que flui através de nós ao mudarmos nossa consciência. Fazemos isso, por exemplo, quando desafiamos um padrão negativo, como a cólera, e escolhemos conscientemente substituí-la pela compaixão, ou quando desafiamos a impaciência e fazemos a opção consciente de compreender e valorizar as necessidades dos outros. Isso cria diferentes formas de pensamento, sentimento e ação e modifica a nossa experiência.

Toda experiência, e toda mudança na nossa experiência,

reflete uma intenção. Uma intenção não é apenas um desejo, é o uso da nossa vontade. Se não estamos satisfeitos com o relacionamento que mantemos com nosso marido ou esposa, se queremos que ele seja diferente, esse desejo, por si só, não mudará o nosso relacionamento. Se desejamos realmente mudar o nosso relacionamento, essa mudança tem início com a intenção que o modifica. O modo como ele mudará vai depender da intenção que pusermos em movimento.

Se você pretende que sua relação com seu marido ou sua esposa se torne harmoniosa e afetuosa, essa intenção o abrirá para novas percepções. Ela lhe permitirá ver o amor que seu marido ou sua esposa expressa por você à sua própria maneira, se for esse o caso. Permitir-lhe-á ver a ausência desse amor, se for esse o caso. Reorientá-lo-á em direção à harmonia e ao amor para que você possa ver claramente, dessa perspectiva, o que é necessário para mudar seu relacionamento, e se isso é exeqüível.

Se você pretende terminar seu relacionamento, esse término começa com a intenção de terminá-lo. Tal intenção criará em você uma inquietude. Você se sentirá cada vez menos satisfeito com seu companheiro. Sentirá uma abertura para os outros de um modo que não tinha sentido antes. Seu eu superior iniciou a busca de outro parceiro. Quando esse parceiro aparecer, você será atraído para ele (ou para ela) e, se o aceita, o que também é uma intenção, um novo caminho se abrirá para você.

Se suas intenções forem conflitantes, você se sentirá dilacerado, porque ambas as dinâmicas serão postas em movimento e se oporão uma à outra. Se você não estiver consciente de todas as suas intenções, a mais forte vencerá. Você pode ter uma intenção consciente de melhorar seu casamento, por exemplo, e ao mesmo tempo uma intenção inconsciente de terminá-lo. Se a intenção inconsciente de terminar seu casamento for mais forte que a intenção consciente de melhorá-lo, a dinâmica da inquietude, da falta de satisfação etc. acabará suplantando a decisão consciente de tornar-se afetuoso e harmonioso em seu casamento. Por fim, seu casamento terminará.

Se a intenção consciente de transformar seu casamento for mais forte que a intenção inconsciente de terminá-lo, e se seu marido ou esposa for essencialmente tolerante, você obterá êxito, mas a dinâmica das intenções opostas que opera em você produzirá confusões e angústias, talvez para ambos, à medida que você se abre para novas percepções de amor e harmonia em seu casamento e, simultaneamente, experimenta inquietude, insatisfação e abertura para outros parceiros.

Essa é a experiência da personalidade fragmentada. A personalidade fragmentada luta consigo mesma. Os valores, percepções e comportamentos da personalidade fragmentada não são integrados. A personalidade fragmentada não está consciente de todas as partes de si mesma. A personalidade fragmentada sente medo. Teme os aspectos de si mesma que ameaçam o que ela busca e o que alcançou.

A personalidade fragmentada vê as circunstâncias de sua vida como sendo mais fortes que ela. A personalidade fragmentada que tem uma intenção consciente de melhorar seu casamento e uma intenção inconsciente, mais forte, de terminá-lo sentirá, por exemplo, depois do colapso de seu casamento, que, a despeito de seus esforços, e até de seus melhores esforços, as coisas não saíram como ela queria. Isso não é verdade. As coisas saíram exatamente como ela queria, mas, devido às intenções conflitantes, muita turbulência, por assim dizer, foi criada no fluxo da Luz através dessa pessoa.

Se as intenções conflitantes têm mais ou menos a mesma intensidade, e se a personalidade não está disposta ou capacitada a reconhecer que um ou alguns aspectos de si mesma se opõem à sua intenção consciente, daí resultará grave tensão ou dor emocional. Isso pode provocar estados de esquizofrenia e enfermidade física. Em casos menos graves, a angústia pode ser igualmente dolorosa.

A personalidade fragmentada é uma personalidade que precisa de cura. À medida que se torna consciente e integrada, a personalidade cura partes de sua alma que encarnaram a fim de serem curadas. A Luz que flui através da personalidade é concentrada num único e brilhante raio. Suas intenções são poderosas e eficazes. Ela se torna um *laser*, um raio de luz de fase coerente, no qual todas as ondas se reforçam umas às outras.

Uma personalidade íntegra não é como um *laser*. Um *laser* é como uma personalidade íntegra. Os *lasers* são o reflexo, na realidade física, de uma dinâmica de energia que até bem pouco tempo atrás não era inerente à experiência humana. O desenvolvimento do *laser* em meados deste século reflete, na arena física, uma dinâmica que é inerente ao estágio para o qual nossa espécie está evoluindo.

Estamos evoluindo para uma espécie de pessoas íntegras, pessoas cônscias da sua natureza como seres de Luz e que moldam a sua Luz conscientemente, com sabedoria e compaixão. Assim, o fenômeno físico da luz de fase coerente, luz que não luta consigo mesma, por assim dizer, tomou forma. Este é um novo fenômeno para a experiência humana e reflete a nova dinâmica de energia do ser humano íntegro. As realizações da ciência, em outras palavras, não refletem as capacidades laboratoriais dos indivíduos ou das nações, mas as capacidades espirituais da nossa espécie.

As intenções não afetam apenas os relacionamentos. Elas põem em movimento processos que afetam todos os aspectos da nossa vida. Se você quer mudar de emprego, por exemplo, essa mudança começa com a intenção de mudar. À medida que a intenção de deixar seu emprego atual emerge em sua consciência, você começa a se abrir para a possibilidade de trabalhar em outro lugar ou de fazer outra coisa. Começa a sentir-se cada vez menos à vontade naquilo que está fazendo. Seu eu superior começou a procurar seu novo emprego por você.

Quando surge a oportunidade, você está pronto para aceitá-la. Poderá precisar de algum tempo para entrar conscientemente na nova situação, para torná-la sua, porque é da natureza humana resistir à mudança; mas, se você a aceitar, sua intenção se manifestará fisicamente – assumirá uma forma física.

Decisões como onde trabalhar, onde e com quem viver não são os únicos tipos de decisões que você toma, nem as que têm maior influência sobre a sua vida. A cada instante você toma decisões na forma de atitudes para com o Universo, as outras pessoas e você mesmo. Você toma essas decisões continuamente e suas experiências de cada momento são criadas por elas. Você é um ser que toma decisões.

A simples escolha de desafiar a cólera e substituí-la pela compreensão não muda de pronto essas atitudes, mas coloca-as, através dos sentimentos, no nosso campo de percepção; e quando tomamos as decisões da nossa vida de forma consciente, responsável e sábia, nossas atitudes refletem essas decisões. Por fim, os processos decisórios que operam no nosso íntimo – aqueles que moldam a cada momento a Luz que flui através de nós – tornam-se alinhados com aquilo que escolhemos conscientemente, do mesmo modo que estão alinhados, antes de escolhermos a consciência, com aquilo que escolhemos inconscientemente.

Criamos a nossa realidade com as nossas intenções.

Como isso ocorre?

As intenções moldam a Luz. Põem a Luz em movimento. Cada intenção – cólera, cobiça, ciúme, compaixão, compreensão – põe energia em movimento, põe padrões de Luz em movimento. A matéria física é o nível de Luz mais denso, ou mais pesado.

A realidade física não é um estágio morto e vazio no qual a Vida evolui. Toda forma física, assim como toda forma não-física, é uma Luz que foi moldada pela consciência. Não existe forma separada da consciência. Não existe um só planeta no Universo que não tenha um nível ativo de consciência, embora possa não ser o que reconhecemos como consciência.

A realidade física, os organismos e as formas que existem na realidade física são sistemas de Luz dentro de sistemas de Luz, e essa Luz é a mesma Luz de nossa alma. Cada um desses sistemas de Luz é moldado pela consciência. A realidade física da escola terrestre é moldada pelas decisões daqueles que a habitam.

Qual é a relação entre a realidade física e as escolhas que fazemos na vida?

A realidade é uma criação que ocorre em múltiplas camadas. Não há duas pessoas que tenham a mesma realidade.

A primeira camada da nossa realidade é a nossa realidade pessoal. Esta é a nossa vida pessoal, a nossa esfera de influência pessoal. Aqui nossas decisões são mais eficazes, e sentimo-las diretamente. Ao optar por sentir afeição em vez de frieza, mudamos a freqüência da nossa consciência, e isso muda nossas experiências. Dentro da nossa realidade pessoal, podemos escolher entre ser egoístas ou altruístas, entre olhar para nós mesmos ou para os outros com brutalidade ou compaixão, entre servir a nós mesmos ou servir aos outros e à Terra. Cada uma dessas decisões molda a Luz que flui através de nós e cria nossa realidade interior. Essa realidade se derrama sobre a realidade das pessoas ao nosso redor.

A segunda camada da nossa realidade é a nossa família. Quando as almas humanas individuais se unem, elas formam um campo de energia grupal, fundem num grupo suas energias. Assim, as decisões que tomamos em nossa realidade pessoal, como a decisão de ser altruísta ou egoísta, ou a decisão de ser irascível ou compreensivo, contribuem para moldar a realidade que partilhamos com a nossa família. O mesmo vale para cada membro da nossa família. A confiabilidade ou a embriaguez do nosso pai, por exemplo, contribui para esse nível da nossa realidade, do mesmo modo que a timidez ou a firmeza da nossa mãe, o ciúme ou o apoio da nossa irmã etc. Quando nos movemos nessa camada da nossa realidade, movemo-nos numa atmosfera que inclui outras pessoas ligadas à nossa vida. Embora ela seja também pessoal, estamos começando a mover-nos para fora da intimidade da nossa realidade pessoal.

A camada seguinte da nossa realidade é a escola, ou o lugar onde trabalhamos. Esse nível de realidade é também uma criação conjunta, e é mais impessoal que a realidade que partilhamos com nossa família. Nem todas as percepções inerentes à nossa realidade pessoal são inerentes a essa realidade. Por exemplo, podemos ter descoberto que quando oramos obtemos respostas, mas essa percepção não é necessária para o funcionamento de nossa universidade ou de nossos negócios. Pode não ser apropriado partilhar essa percepção com a pessoa sentada ao nosso lado no salão de leitura ou com a recepcionista do escritório vizinho.

A camada seguinte da nossa realidade inclui as pessoas com quem entramos em contato no decorrer da nossa vida diária, como as pessoas de quem compramos nossas passagens aéreas, as pessoas da mercearia, os motoristas de ônibus e os comerciantes de nossa cidade. As crenças que alimentamos como participantes dessa e de outras camadas mais impessoais da nossa realidade, nem todas, da mesma forma, são tão íntimas e pessoais como as que nutrimos em nossa realidade pessoal. Nessas arenas partilhamos as crenças pessoais que sentimos estarem mais de acordo com a atmosfera de crenças mais ampla sobre o nosso planeta.

Em outras palavras, à medida que saímos da nossa realidade pessoal passamos a faixas de energia partilhadas por um número maior de pessoas, com as quais temos muito em comum em termos vibratórios. A maioria das pessoas, por exemplo, compreende o que é "cidade" e "área urbana". A maioria das pessoas compreende o que é "Europa" e "Estados Unidos". Essas percepções são partilhadas coletivamente, mas não são partilhadas tão amplamente quanto as percepções de "água" e "ar", que são universais no nosso planeta.

Nem todas as pessoas do nosso planeta sabem que existe um lugar chamado "Europa". "Europa" é uma percepção majoritária no nosso planeta, mas não é uma percepção tão universal quanto "ar". Receber conscientemente respostas a preces não é uma percepção majoritária no nosso planeta. Por isso, é-nos facultado dizer às pessoas da mercearia que ouvimos respostas quando oramos, mas podemos decidir não partilhar essa percepção a bem do nosso próprio senso de segurança, porque compreendemos que a consciência dessas pessoas pode não estar apta a aceitar isso.

A camada seguinte da nossa realidade é a da nossa cidade; depois vem a do nosso Estado, ou a da área do país, e a seguir vem a da nossa cultura, ou nação. Uma nação é um aspecto da personalidade de Gaia, a alma da Terra, que está, ela própria, desenvolvendo sua personalidade e sua alma. A dinâmica grupal constituída pelos Estados Unidos é um aspecto da personalidade de Gaia, do mesmo modo que a dinâmica grupal constituída pelo Canadá ou pela Groenlândia e a dinâmica grupal constituída por cada nação. As almas humanas individuais que participam da evolução desses aspectos de Gaia formam essas dinâmicas de energia e, ao mesmo tempo, seus próprios desenvolvimentos são favorecidos pelas propriedades da energia cármica dessas nações.

Consideremos os Estados Unidos, por exemplo, como sendo simplesmente uma unidade de energia que está evoluindo com uma consciência particular. As almas individuais que passam através dessa consciência coletiva expandem-na, produzem ações, criam formas de pensamento, criam causas e efeitos, e é assim que ela acumula carma. A relação dessas almas com sua nação é como a das células com o corpo. Nossa consciência afeta cada célula de nosso corpo, e cada célula de nosso corpo afeta nossa consciência. Há uma reciprocidade. Pode-se considerar cada indivíduo que participa da consciência coletiva chamada Estados Unidos como uma célula dessa nação, em diálogo.

A escola terrestre e a Terra não são a mesma coisa. A Terra é um planeta. Com ou sem humanidade, ela existiria. O propósito do planeta é duplo, por assim dizer. Ele tem sua própria evolução, e parte de sua evolução inclui a habitação de uma espécie chamada espécie humana. A Terra concordou em interagir com a espécie humana e em permitir o desenvolvimento dessa espécie para fundir-se com sua própria consciência. Parte desse acordo pode ser compreendido como um acordo pelo qual a matéria será criada, neste planeta, juntamente com a consciência da Terra. Como a Terra tem agora residentes criativos, ela responde à energia destes. Nossa espécie e a Terra formam um sistema de respostas mútuas. Isso ocorre da mesma forma que a Natureza existe e é também uma aventura de criação conjunta.

À medida que continuamos a passar através das camadas da nossa realidade, elas se tornam cada vez mais impessoais. A camada seguinte da nossa realidade é a nossa raça. Se você é negro, você – sua alma – optou por participar da evolução daquilo que constitui um ser humano negro. Suas experiências de jovialidade, cólera, sabedoria ou amabilidade ajudam a formar essa dinâmica de energia impessoal.

A camada seguinte é o sexo. Se você é do sexo feminino, você fez a opção de participar da evolução da feminilidade na espécie humana.

Se imaginarmos essa estrutura como uma pirâmide invertida, com nossa realidade pessoal na base e cada camada da nossa personalidade acima de nossa realidade pessoal como uma camada mais abrangente e impessoal, a camada mais elevada, mais ampla e mais impessoal é a humanidade, a experiência do ser humano.

Como pessoas participamos das experiências de grupo simultaneamente à nossa qualidade de pessoas, tal como podemos ser ao mesmo tempo um homem, um pai e um marido, ou uma mulher, uma esposa e uma mãe. Todas essas experiências são simultâneas. Algumas delas são coletivas, outras individuais. Podemos ter uma experiência individual como pai, por exemplo, e uma ocupação como a de jogador de beisebol numa equipe, onde participamos num sistema de energia grupal.

Contribuímos para a criação e a evolução de cada uma das consciências coletivas de que participamos. Se uma pessoa é francesa, ela contribui para a evolução da consciência grupal denominada França. Se uma pessoa é católica, ela contribui para a consciência grupal que se denomina catolicismo.

Em outras palavras, a dinâmica de criar a realidade opera em mais de um nível. Enquanto estamos aqui, participamos da criação tanto da realidade pessoal como da realidade impessoal. Assim como podemos participar da criação de um edifício que permanece muito tempo depois de morrermos, participamos da evolução de dinâmicas de energia grupal que permanecerão depois de morrermos.

Criar um edifício é um esforço de grupo. Muitas almas participam da construção dessa realidade. O edifício é construído com a energia grupal, e não apenas com a energia individual. Assim, ele tem uma existência independente de cada um dos indivíduos que o construíram. Do mesmo modo, você está participando da evolução dos Estados Unidos, por exemplo, mas quando você morrer esse lugar chamado Estados Unidos permanecerá.

Estamos ligados em camadas e através de camadas com a nossa experiência. À medida que avançamos da experiência individual de nossa própria vida para a experiência mais ampla da família de que fazemos parte, e mais além, passamos a dinâmicas de energia grupal. A dinâmica grupal da família é parte da dinâmica grupal mais ampla da comunidade, que é parte da dinâmica grupal mais ampla da nação. As dinâmicas grupais avançam através do sistema e o sistema inteiro – a pirâmide invertida inteira – é a alma da espécie humana.

Às vezes a alma da espécie humana é chamada de inconsciente coletivo, mas ela não é isso. Ela é a alma da humanidade. Nossa alma é uma miniatura da alma da espécie humana. É um micro de um macro. Ela tem igual energia e poder individuais. Como parte do micro, temos todo o poder do macro calibrado para uma forma individual de determinadas freqüências. Cada um de nós forma energias coletivas que ajudam o todo a evoluir, embora elas próprias não sejam almas, nem tenham alma. Entre o micro e o macro situam-se as várias experiências proporcionadas à alma humana individual que está aprendendo num grupo, participando da evolução de um grupo, como, por exemplo, da evolução de nosso país, de nossa religião, e as experiências pessoais individuais que compreendem a experiência humana.

À medida que passamos da camada mais alta da pirâmide invertida para a camada situada logo abaixo dela, nossa experiência se reduz: deixa de ser uma parte da evolução humana como um todo para tornar-se uma parte da evolução da energia masculina ou feminina. Na camada situada abaixo desta, tornamo-nos parte da evolução do caucasiano, ou do negro, ou do mongol. Na camada logo abaixo, somos parte da evolução do campo de energia dos Estados Unidos. Na próxima camada, somos parte da evolução de uma pessoa cujas experiências incluirão um aspecto que participa da evolução do militar, um aspecto que participa da evolução do professor, um aspecto que participa da evolução do pai, e assim por diante. Camada por camada, é assim que se pode representar a realidade de cada pessoa.

A partir da camada mais alta, que constitui toda a humanidade, toda a espécie humana, cada camada abaixo nos situa mais individualmente e mais especificamente. A consciência mais impessoal, a espécie humana, é a primeira camada. Em seguida essa consciência assume atributos pessoais. O fato de alguém ser parte dos Estados Unidos é um atributo pessoal. O fato de alguém ser um homem branco ou uma mulher morena dos Estados Unidos é um atributo pessoal. Tais atributos são partes de nossa experiência pessoal e características que servem à evolução do todo.

Uma universidade, por analogia, é uma dinâmica grupal. Cada uma das faculdades de uma universidade – Letras, Economia, Medicina, Direito – é, igualmente, um sistema de energia grupal, um conjunto menos abrangente de energia grupal de almas em evolução. O que acontece dentro das faculdades afeta o conjunto da própria universidade. Em seguida, dentro de uma faculdade particular, há a experiência de uma certa classe, que é mais pessoal, e depois dela a experiência do próprio aluno, que é intimamente pessoal.

A realidade de cada indivíduo é criada por suas intenções e pelas intenções dos outros. O que chamamos a realidade física que partilhamos é uma mistura, ou uma formação, uma cobertura maciça de realidades apropriadas. É uma consciência maciça e fluida na qual cada um de nós existe independentemente dos demais e coexiste, não obstante, interdependentemente com os demais.

Aquilo de que, como espécie e como indivíduos, nos estamos tornando conscientes agora é o efeito da consciência sobre esse processo.

8

Intenção II

Você é o produto do carma da sua alma. As disposições, aptidões e atitudes com que você nasceu servem para a aprendizagem da sua alma. À medida que sua alma aprende as lições que deve aprender para equilibrar sua energia, essas características se tornam desnecessárias e são substituídas por outras. É assim que você cresce. À medida que você aprende, por exemplo, que a cólera não leva a parte alguma, sua cólera começa a desaparecer e você adquire uma orientação mais integrada e madura em relação às suas experiências. O que antes o encolerizava agora produz respostas diferentes.

Enquanto não se conscientizar dos efeitos de sua cólera, você continuará a ser uma pessoa irascível. Se você não tiver alcançado essa consciência quando "voltar para casa", sua alma prosseguirá com essa lição através das experiências de outra vida. Ela se encarnará em outra personalidade com aspectos semelhantes aos da sua. O que não é aprendido em cada vida é transportado para outras vidas, juntamente com as novas lições que a alma deverá aprender, novas obrigações cármicas decorrentes das respostas de sua personalidade às situações com que ela se depara. As lições que a alma aprendeu também são transferidas para outras vidas, e é assim que a alma evolui. As personalidades amadurecem no tempo; a alma evolui na eternidade.

Suas disposições, aptidões e atitudes refletem suas intenções. Se você é irascível, medroso, ressentido ou vingativo, sua intenção é manter as pessoas à distância. O espectro emocional humano pode ser dividido em dois elementos básicos: o amor e o medo. A cólera, o ressentimento e a vingança são expressões do medo, assim como a culpa, o pesar, o embaraço, a vergonha e a tristeza. Essas emoções são correntes de energia de baixa freqüência e produzem sentimentos de exaustão, fraqueza, incapacidade de resistir e esgotamento. A corrente de freqüência mais alta, de energia mais elevada, é o amor, que produz alegria, radiância, leveza e contentamento.

Suas intenções criam a realidade que você experimenta. Enquanto você não adquire consciência disso, isso ocorre inconscientemente. Portanto, tome cuidado com o que você projeta. Este é o primeiro passo rumo ao autêntico poder.

Você pode buscar companhia e calor humano, por exemplo, mas se sua intenção inconsciente é manter as pessoas à distância, as experiências da separação e da dor aflorarão repetidamente até você compreender que você próprio as está criando. Por fim, você optará por criar harmonia e amor; optará por atrair para si as correntes de alta freqüência que cada situação tem a oferecer. E, finalmente, você compreenderá que o amor cura tudo e que o amor é tudo o que existe.

Essa jornada pode requerer várias vidas, mas você a completará. É impossível não completá-la. Não é uma questão de *se*, mas de *quando*. Toda situação que você cria serve a esse propósito. Toda experiência com que você se depara serve a esse propósito.

A jornada curativa da alma humana através de suas encarnações na arena física é um processo de ciclos de criação:

Carma → personalidade → intenções + Energia →
experiências → reações → Carma → etc.

O carma da alma determina as características da personalidade. Ele determina as circunstâncias físicas, emocionais, psicológicas e espirituais em que a personalidade nasce: determina as maneiras pelas quais a personalidade se inclina a compreender suas experiências; determina as intenções com as quais a personalidade moldará sua realidade. Essas intenções criam a realidade que proporciona à alma, a cada momento, as experiências necessárias ao equilíbrio de sua energia, e à personalidade a escolha mais clara entre aprender através da sabedoria ou aprender através da dúvida e do medo. Por meio dessas intenções, a personalidade amolda a Luz que flui através dela à realidade que é mais adequada ao seu crescimento, à evolução de sua alma.

As reações da personalidade às experiências por ela criadas produzem mais carma. As reações expressam as intenções. Elas é que determinam as experiências que serão criadas em seguida, e as reações da personalidade a tais experiências criam mais carma, e assim por diante, até a alma liberar essa personalidade e esse corpo.

Quando a alma volta para casa, o que foi acumulado nesta vida é avaliado com a amorosa assistência de seus Mestres e guias. As novas lições que surgiram para ser aprendidas, as novas obrigações cármicas a serem cumpridas são vistas. As experiências da encarnação recém-completada são reexaminadas na plenitude da compreensão. Seus mistérios deixam de ser mistérios. Suas causas, suas razões e suas contribuições para a evolução da alma, e para a evolução das almas com as quais a alma partilha sua vida, são reveladas. O que foi equilibrado, o que foi aprendido aproxima a alma ainda mais de sua cura, de sua integração e totalidade.

Se a alma vir que é necessário, ela escolherá, ainda com a ajuda de seus Mestres e guias, outra encarnação. Atrairá para si os guias e Mestres mais apropriados ao que ela busca realizar. Consultará outras almas cujas evoluções, assim como a sua, se favorecerão mutuamente pelas interações na arena física. Ela, então, empreenderá mais uma vez a redução maciça e voluntária da sua energia, a infusão da sua energia na matéria, a calibragem da sua energia segundo uma escala e uma amplitude de freqüência apropriadas, ou seja, a encarnação no ambiente de aprendizagem da escola terrestre, e o processo se reinicia.

O mundo, tal como o conhecemos, foi construído sem a consciência da alma. Ele foi construído com a consciência da personalidade. Tudo o que existe no nosso mundo reflete a energia da personalidade. Acreditamos que aquilo que podemos ver, cheirar, tocar, ouvir e provar é tudo o que existe para o mundo. Acreditamos que não somos responsáveis pelas conseqüências de nossas ações. Agimos como se não fôssemos afetados quando agarramos, agarramos e agarramos. Lutamos pelo poder externo e, nessa luta, criamos uma competição destrutiva.

A introdução da consciência no processo cíclico de criação através do qual a alma evolui permite a criação de um mundo edificado sobre a consciência da alma, um mundo que reflete os valores, as percepções e as experiências da alma. Permite-nos infundir conscientemente a energia da nossa alma no ambiente físico. Permite à consciência do sagrado unir-se à matéria física.

O mundo em que vivemos foi criado inconscientemente, por intenções inconscientes. Toda intenção põe energia em movimento, quer estejamos ou não conscientes disso. Nós criamos a todo o momento. Cada palavra que pronunciamos contém energia – mais que isso, contém inteligência – e, portanto, é uma intenção que molda a Luz.

Quando falamos de um "casamento", por exemplo, invocamos uma consciência particular, uma energia particular. Quando duas pessoas se casam, tornam-se "marido" e "esposa". "Marido" significa o chefe da casa, o cabeça de uma família, um administrador. "Esposa" significa uma mulher que se uniu a um homem em matrimônio, uma dona de casa. Às vezes significa uma mulher de posição humilde. A relação entre o marido e a esposa não é de equivalência. Quando duas pessoas se "casam" e pensam e falam de si mesmos como "marido" e "esposa", elas entram na consciência e inteligência de marido e esposa.

Em outras palavras, a estrutura arquetípica do "casamento" pode ser vista como um planeta. Quando duas almas se casam, ambas entram na órbita, ou campo gravitacional, desse planeta e, assim, a despeito de suas intenções individuais, assumem as características do planeta chamado "casamento". Tornam-se parte da evolução da própria estrutura mediante sua participação num casamento.

Um arquétipo é uma idéia humana coletiva. O arquétipo do casamento foi criado para ajudar a sobrevivência física. Quando duas pessoas se casam, ambas participam de uma dinâmica de energia na qual unem suas vidas a fim de ajudar uma à outra a sobreviver fisicamente. O arquétipo do casamento deixou de ser funcional. Ele está sendo substituído por um novo arquétipo, criado para promover o crescimento espiritual: é o arquétipo da parceria espiritual ou sagrada.

A premissa que está por trás de uma parceria espiritual é um compromisso sagrado entre os parceiros no sentido de se ajudarem mutuamente em seu crescimento espiritual. Os parceiros espirituais reconhecem sua igualdade. Os parceiros espirituais são capazes de distinguir entre personalidade e alma e, portanto, são capazes de discutir as dinâmicas entre eles, suas interações, num nível menos limitado emocionalmente que o dos maridos e esposas. Esse nível não existe na consciência do casamento. Existe apenas na consciência da parceria espiritual, porque os parceiros são capazes de ver com clareza que de fato existe uma razão mais profunda pela qual eles estão juntos e que essa razão tem muito a ver com a evolução de suas almas.

Por serem capazes de ver dessa perspectiva, os parceiros espirituais, ou sagrados, se envolvem numa dinâmica muito diferente da dos maridos e esposas. A evolução consciente da alma não faz parte da dinâmica estrutural do casamento. Ela não existe nessa evolução porque, quando o arquétipo evolucionário do casamento foi criado para a nossa espécie, a dinâmica do crescimento espiritual consciente era um conceito demasiado maduro para ser incluído. O que faz com que uma parceria seja espiritual, ou sagrada, é o fato de as almas envolvidas nessa parceria compreenderem que estão juntas num relacionamento compromissado, mas tal compromisso não visa à segurança física. Consiste, antes, em compartilhar suas vidas físicas na medida em que estas refletem a consciência espiritual.

O vínculo entre os parceiros espirituais é tão real quanto o é no casamento, mas por razões significativamente diferentes. Os parceiros espirituais não estão juntos a fim de dominar os temores financeiros um do outro, ou porque podem construir uma casa nos subúrbios, e em todo esse contexto conceptual. A compreensão ou consciência que os parceiros espirituais trazem ao seu compromisso é diferente e, portanto, seu compromisso é dinamicamente diferente. O compromisso dos parceiros espirituais é no sentido do crescimento espiritual recíproco, do reconhecimento de que é isso o que cada um deles está fazendo na Terra e de que tudo serve a esse propósito.

Os parceiros espirituais se unem com a compreensão de que estão juntos porque é bom para suas almas crescerem juntas. Reconhecem que seu crescimento pode durar até o fim de seus dias nesta encarnação, ou mais além, ou pode durar seis meses. Não podem dizer que ficarão juntos para sempre. Sua parceria perdurará enquanto lhes favorecer a evolução. Todos os votos que um ser humano é capaz de fazer não podem impedir que o caminho espiritual venha a determinar a quebra desses votos em prol do avanço do espírito. É apropriado que os parceiros espirituais fiquem juntos apenas enquanto crescem juntos.

A parceria espiritual é uma dinâmica muito mais livre e espiritualmente acurada do que o casamento, porque os parceiros espirituais se unem com base numa posição do espírito e da consciência. A maneira como os parceiros espirituais fundem e mudam seus conceitos de parceria é uma questão de livre-arbítrio. O reconhecimento de que trazem as conseqüências de suas escolhas para o seu relacionamento e a consciência da inteira extensão de suas escolhas é o que influencia o curso e a direção da parceria.

Os parceiros espirituais se comprometem numa dinâmica de crescimento. Seu compromisso é realmente uma promessa no sentido de seu próprio crescimento, visando sua sobrevivência e elevação espiritual, e não física.

O arquétipo da parceria espiritual é novo na experiência humana. Como ainda não existe uma convenção social para a parceria espiritual, os parceiros espirituais podem admitir a convenção do casamento, reinterpretada para atender às suas necessidades, como a expressão física mais apropriada ao seu vínculo. Essas almas infundem no arquétipo do casamento a energia do arquétipo da parceria espiritual, como o fazem os parceiros matrimoniais que descobriram em sua união que seu vínculo é, de fato, um vínculo de compromisso no sentido do crescimento espiritual recíproco, e não no sentido da sobrevivência, da segurança ou do conforto físicos.

Assim como o poder externo já não é apropriado à nossa evolução, também o arquétipo do casamento deixou de ser apropriado. Isso não significa que a instituição do casamento vá desaparecer da noite para o dia. Os casamentos continuarão a existir, mas só serão bem-sucedidos com a consciência da parceria espiritual. Através de sua participação nesses casamentos, os parceiros contribuem para o desenvolvimento do arquétipo da parceria espiritual.

Quando você introduz no seu processo de intenções a consciência da sua alma, quando opta por alinhar-se com a sua alma, e não com a sua personalidade, você cria uma realidade que reflete a sua alma e não a sua personalidade. Quando você encara as experiências de sua vida como necessidades cármicas, quando vê suas experiências como produtos de uma dinâmica de energia impessoal, e não como produtos de interações particulares, você infunde na sua realidade a sabedoria da sua alma. Quando você opta por responder às dificuldades da vida com compaixão e amor, e não com medo e dúvida, você cria um "céu na Terra" – infunde no ser físico os aspectos de um nível de realidade mais equilibrado e harmonioso.

A introdução da consciência nos processos cíclicos da criação, no que se refere à intenção e no que se refere à reação, permite a escolha, permite a seleção de alternativas, traz a consciência para o processo da evolução. Nossa intenção e atenção moldam nossas experiências. Aquilo que pretendemos, através da densidade da matéria, através do nível de Luz mais denso, torna-se a nossa realidade. Para onde vai nossa atenção, nós vamos.

Se você se volta para os aspectos negativos da vida, se escolhe concentrar sua atenção na fraqueza dos outros, em suas imperfeições e defeitos, você atrai para si mesmo as correntes de baixa freqüência do desprezo, da cólera e do ódio; cria distância entre você e os outros; coloca obstáculos à manifestação de seu amor. Sua energia e influência se movem lentamente através do reino da personalidade, a arena do tempo, do espaço e da matéria. Ao dirigir sua energia no sentido de criticar os outros com a intenção de despojá-los do poder, você cria carma negativo.

Se você escolhe concentrar sua atenção nas forças dos outros, nas suas virtudes, na parte deles que se empenha no sentido do mais elevado, você infunde em seu sistema as correntes de alta freqüência da estima, da aceitação e do amor. Sua energia e influência se irradiam instantaneamente de alma para alma. Você se torna um instrumento eficaz de mudança construtiva. Se sua intenção é alinhar sua personalidade com sua alma, e se você focaliza sua atenção nas percepções que as correntes de energia de alta freqüência lhe trazem em cada situação, seu ser está-se movendo na direção do autêntico poder.

Quando você reconhece o poder de sua consciência, quando percebe que aquilo que está por trás de seus olhos, por assim dizer, tem mais poder do que aquilo que aparece diante deles, suas percepções internas e externas mudam. Você não pode tornar-se compassivo consigo mesmo sem tornar-se compassivo com os outros, ou compassivo com os outros sem tornar-se compassivo consigo mesmo. Quando você é compassivo consigo mesmo e com os outros, seu mundo se torna compassivo. Você atrai para si outras almas de igual freqüência e cria com elas, através de suas intenções, ações e interações, um mundo compassivo.

Quando você procura e vê as virtudes, a força e a nobreza dos outros, você começa a procurá-las e a vê-las em si mesmo. Quando atrai para si as correntes de alta freqüência de cada situação, você irradia essa freqüência de consciência e muda a situação. Torna-se, cada vez mais conscientemente, um ser de Luz.

Compreender a relação entre a consciência e a reação física

é compreender a lei do carma, vê-la em ação. O que você pretende é o que você se torna. Se sua intenção é tirar o máximo da vida e dos outros, se seus pensamentos são os de tirar em vez de dar, você cria uma realidade que reflete essa intenção, atrai para si as almas de igual freqüência e cria com elas uma realidade de tirar. Sua experiência, então, reflete sua própria orientação e a legitima. Você vê as pessoas ao seu redor como personalidades que tiram, e não como personalidades que dão. Não confia nelas, nem elas em você.

A dinâmica criativa da intenção, a relação entre a intenção e a experiência subjaz à física quântica, a mais profunda tentativa de nossa espécie no sentido de compreender os fenômenos físicos da perspectiva da personalidade pentassensorial. A física quântica originou-se de um esforço intenso e cumulativo para compreender a natureza da luz física.

É possível construir um aparelho que revela a natureza ondulatória da luz, que a leva a produzir fenômenos que só podem ser produzidos pelas ondas. É igualmente possível construir um aparelho que detecta partículas de luz, como se fossem minúsculas bolinhas de chumbo, e medir a força do impacto de cada partícula. Todavia, não é possível descrever a luz como um fenômeno ondulatório e um fenômeno de partículas ao mesmo tempo. Em outras palavras, não é possível descrever a natureza da luz – literalmente, a forma da luz física – sem o aparelho experimental usado para determiná-la, e isso depende da intenção do experimentador.

As realizações científicas de nossa espécie, à medida que se desenvolvem na arena da matéria e do tempo, no reino da personalidade pentassensorial, refletem nossa consciência como uma espécie de dinâmica não-física. A dependência entre a forma da luz física e a intenção do experimentador reflete, de maneira limitada, porém exata, a dependência entre a forma da Luz não-física e as intenções da alma que a molda, do mesmo modo que a natureza da própria luz física reflete, de maneira limitada mas essencialmente exata, a natureza da Luz do Universo.

A criação da experiência física através da intenção e a infusão da Luz na forma, da energia na matéria, da alma no corpo são uma só coisa. A distância entre você e sua compreensão da criação da matéria a partir da energia é igual à distância entre a percepção de sua personalidade e a energia de sua alma. A dinâmica da alma e da personalidade é a mesma da energia convertida em matéria. O sistema é idêntico. Nosso corpo é a nossa matéria consciente. Nossa personalidade é a energia da nossa alma convertida em matéria. Se ela é inconsciente, o que se transmite é a fragmentação; se é consciente, começa a tornar-se íntegra.

A dinâmica da alma-para-a-personalidade, da energia-para-a-matéria, está no âmago da nossa mitologia da criação, a história do Paraíso. Não está você, metaforicamente, num Jardim do Éden, por assim dizer, sua própria realidade criativa, na qual você decide diariamente como criará sua realidade com o princípio masculino-feminino que opera em seu íntimo, o princípio de Adão e Eva, com a Árvore representando seu sistema de energia pessoal, seu cordão de conhecimento? Como você usará o seu poder? Você criará o Paraíso ou será Expulso?

O desafio para cada ser humano é a criação.

Você criará com reverência ou com negligência?

Responsabilidade

9

Escolha

O centro do processo evolutivo é a escolha. A escolha é o motor da nossa evolução. Cada escolha que fazemos é uma escolha de intenção. Podemos optar por ficar em silêncio numa determinada situação, por exemplo, e essa ação pode favorecer a intenção de punir, partilhar compaixão, vingar-se, mostrar paciência ou amar. Podemos optar por falar energicamente, e essa ação pode favorecer alguma dessas mesmas intenções. Quando escolhemos, com cada ação e cada pensamento, infundimos em nossa ação ou pensamento uma intenção, uma qualidade de consciência.

A personalidade fragmentada tem múltiplos aspectos. Um aspecto pode ser afetuoso e paciente, outro vingativo, outro caridoso e outro egoísta. Cada um desses aspectos tem seus próprios valores e objetivos. Se você não está consciente de todas as diferentes partes de si mesmo, a parte que for mais forte prevalecerá sobre as demais. A intenção dessa parte é a que a personalidade usará para criar a sua realidade. A parte caridosa, por exemplo, pode querer que o ladrão apanhado em sua casa tenha outra oportunidade; mas se a parte vingativa for mais forte você exigirá, talvez com sentimentos mesclados, que ele seja preso.

Você não pode escolher suas intenções conscientemente enquanto não adquirir consciência de cada um dos diferentes aspectos de si mesmo. Se não estiver consciente de cada parte de si mesmo, você passará pela experiência de querer dizer ou de tencionar fazer uma coisa e surpreender-se dizendo ou tencionando fazer outra. Desejará que sua vida avance numa direção e verificará que ela avança em outra. Quererá liberar um padrão doloroso de sua experiência e o verá reaparecer.

Não é fácil, para uma personalidade fragmentada, tornar-se íntegra, porque apenas algumas partes da personalidade fragmentada aspiram à integração. As outras, por não serem tão responsáveis, diligentes ou compassivas quanto as partes que aspiram à integração, tomam outro caminho. Procuram criar aquilo que as satisfaz, aquilo a que se acostumaram. Essas partes da personalidade são quase sempre fortes e bem consolidadas. A personalidade fragmentada sempre deve escolher entre partes opostas de si mesma. Esta é a situação crucial da nossa evolução; é a situação fundamental – a questão da escolha.

A escolha da intenção é também a escolha do caminho cármico. Se você fala ou age movido pela ira, por exemplo, você cria o carma da ira. Se fala ou age com compaixão, cria o carma da compaixão e um caminho diferente se abre à sua frente. Isso acontece quer você esteja consciente das diferentes partes de si mesmo ou não, mesmo que esteja consciente das escolhas que faz a cada momento. A evolução inconsciente através da densidade da matéria física, das experiências criadas inconscientemente pelas intenções inconscientes, tem sido a trajetória de nossa espécie até aqui. Esse é o caminho inconsciente para a aquisição do poder autêntico.

A evolução consciente através da escolha responsável é o modo acelerado de evolução da personalidade multissensorial e da personalidade pentassensorial que está a tornar-se multissensorial. A escolha responsável é o caminho consciente para a aquisição do poder autêntico.

Que é escolha responsável?

À medida que segue seus sentimentos, você se torna consciente das diferentes partes de si mesmo e das diferentes coisas que elas desejam. Você não pode tê-las todas de uma vez, porque muitas delas estão em conflito. A parte que quer mais dinheiro e uma casa maior está em conflito com a parte que sofre com a pobreza e a fome. A parte que se volta com compaixão para a beleza nos outros está em conflito com a parte que quer usar os outros para seu próprio benefício ou gratificação. Quando você satisfaz uma parte de si mesmo, as necessidades de outra permanecem insatisfeitas. A satisfação de uma parte cria angústia em outra, ou outras, e você se fragmenta.

Assim como o experimentador em física quântica não pode

produzir a experiência de ondas com a luz física e a experiência de partículas com a luz física ao mesmo tempo, e precisa escolher que experiência irá criar, também você, à medida que molda sua Luz não-física, precisa escolher que experiência irá criar.

À proporção que se torna consciente das diferentes partes de sua personalidade, você se capacita a experimentar conscientemente suas forças interiores que lutam por expressar-se, que aspiram à intenção única que será sua a cada momento e moldará sua realidade. Quando você entra nessas dinâmicas conscientemente, cria para si mesmo a capacidade de escolher conscientemente entre suas forças interiores, de escolher onde e como concentrará sua energia.

A escolha de não escolher é a escolha de permanecer inconsciente e, portanto, de exercer o poder irresponsavelmente. A percepção da personalidade fragmentada e de sua necessidade de integração traz consigo a necessidade da escolha consciente. Cada decisão exige que você escolha quais as partes de si mesmo que deseja cultivar e quais as que deseja liberar.

A escolha responsável é aquela que leva em conta as conseqüências de cada uma das nossas escolhas. Para fazer uma escolha responsável, você deve perguntar a si mesmo, para cada escolha que está considerando: "O que isso produzirá? Quero realmente criar isso? Estou pronto para aceitar todas as conseqüências dessa escolha?" Projete-se no provável futuro que se desdobrará com cada escolha que você está considerando. Faça-o, não com a energia da intenção, mas simplesmente como um teste, para obter o sentimento daquilo que está pensando em criar. Veja como você se sente. Pergunte a si mesmo: "É isso realmente o que quero?", e então decida. Quando você leva em conta as conseqüências de sua escolha antes de decidir-se, e quando escolhe permanecer consciente, esta é uma escolha responsável.

Só através da escolha responsável você pode optar conscientemente por cultivar e fomentar as necessidades de sua alma e desafiar e liberar os desejos de sua personalidade. Essa é a escolha da clareza e da sabedoria, a escolha da transformação consciente. É a escolha das correntes de energia de alta freqüência do amor, do perdão e da compaixão. É a escolha de seguir a voz de seu eu superior, de sua alma. É a decisão de abrir-se para a orientação e a assistência de seus guias e Mestres. É o caminho que conduz conscientemente ao poder autêntico.

Como isso acontece?

Você pode estar consciente de que enganar outra pessoa não está em concordância com sua alma, mas decide fazê-lo assim mesmo a fim de obter um lucro ou preservar um relacionamento que não está disposto a perder. Você pode saber que o caminho da compaixão consiste em partilhar seus pensamentos e ações e, no entanto, decide não partilhá-los porque acha que isso lhe custaria dinheiro ou segurança. Quando você escolhe a energia de sua alma – quando escolhe criar com as intenções do amor, do perdão, da humildade e da clareza – você adquire poder. Quando escolhe aprender através da sabedoria, você adquire poder. Quando escolhe criar com a energia de sua personalidade, com raiva, ciúme ou medo – quando escolhe aprender através do medo e da dúvida – você perde poder. Você adquire ou perde poder, portanto, segundo as escolhas que faz.

A personalidade está interessada em si mesma. Ela gosta de emoções fortes, por assim dizer. Não é necessariamente responsável, nem zelosa, nem amorosa. A alma é a energia do amor, da sabedoria e da compaixão universais. Ela cria com essas energias. A personalidade compreende o poder como algo externo: ela percebe em termos de competição, ameaças, ganhos e perdas avaliados contra os dos outros. Quando age de acordo com sua personalidade, você confere poder ao reino dos sentidos, às circunstâncias e objetos exteriores – você se despoja de poder. À medida que se conscientiza de seu eu e sua origem espirituais, de sua imortalidade, e escolhe isso e vive de acordo com isso de forma prioritária, e de acordo com o físico em segundo lugar, você preenche a lacuna existente entre a personalidade e a alma – você começa a sentir o poder autêntico.

Quando você interage em termos das percepções de sua personalidade, em termos de seus cinco sentidos, há uma ilusão que você não percebe. Uma desavença entre dois amigos, por exemplo, não é tanto uma desavença quanto aspectos de cada um deles aflorando a fim de serem curados. Se eles não fossem almas afins, não estariam juntos. Se um pai deseja estar presente ao nascimento de seu filho, por exemplo, mas as circunstâncias o levam para outro lugar, sua percepção de estar em outro lugar é uma ilusão – ele está com seu filho. À medida que a personalidade se torna íntegra e dotada de poder, ela se contenta em deixar a ilusão desempenhar o seu papel.

Essa é a criação da dinâmica da alma pela qual, não importa a situação em que se encontre, ela cria o melhor dos mundos a partir do poder que invoca para a situação. Da perspectiva da percepção da personalidade, não é possível ver claramente aqueles seres humanos que, do exterior, parecem estar tomando decisões tolas ou não ter consciência de seu ambiente, quando, na verdade, estão simplesmente bebendo do mais puro néctar de seu ambiente e gozando do contentamento de ver a ilusão representar o seu papel.

A personalidade fragmentada não está contente. O contentamento que ela sente num dado momento é substituído pela ira, pelo medo ou pela inveja no momento seguinte, porquanto os aspectos conflitantes de si mesma lutam uns com os outros. Nossas respostas às lutas entre os aspectos conflitantes de nossa personalidade determinam a maneira como evoluiremos, consciente ou inconscientemente, através da experiência de carma negativo ou positivo, através do medo e da dúvida ou através da sabedoria. Não são as nossas lutas, por si mesmas, que criam carma ou determinam o modo como evoluiremos, mas nossas respostas a elas.

Se a sua luta com as partes conflitantes de si mesmo é consciente, você é capaz de escolher conscientemente a resposta que irá criar o carma que deseja. Será capaz de infundir em sua decisão uma percepção daquilo que está por trás de cada escolha, assim como das conseqüências de cada escolha, e de escolher à luz dessa percepção. Quando você entra em sua dinâmica de tomada de decisão conscientemente, você insere conscientemente sua vontade no ciclo criativo através do qual sua alma evolui e penetra conscientemente em sua própria evolução.

Isso requer esforço, mas será que é realmente mais difícil do que viver as conseqüências decorrentes de uma decisão de agir com cólera, egoísmo ou medo, quando sabemos que, com cada decisão de agir sem compaixão, nós próprios seremos vítimas da discórdia, do medo ou da angústia que criamos em outra pessoa? Não valerá a pena o esforço de projetarmos antecipadamente as prováveis conseqüências de cada uma das nossas ações, em cada momento de escolha, e de vermos como nos sentiremos em cada caso, quão à vontade ficaremos com cada uma das conseqüências, e se esse esforço nos permite colher amor, compaixão e poder autêntico?

O esforço que aplicamos a cada decisão de alinhar-nos com nossa alma é recompensado várias vezes. A parte de nós mesmos que se empenha em alcançar a Luz pode não ser a mais forte no momento em que escolhemos viajar conscientemente rumo ao autêntico poder, no momento em que escolhemos o caminho vertical, mas é a parte respaldada pelo Universo.

Quando se faz necessário, por exemplo, curar o corpo físico ou emocional de uma pessoa, muitas vezes se requer uma mudança drástica na nutrição e, por essa razão, a pessoa deve liberar todos os seus hábitos alimentares e adquirir o hábito de ingerir certos alimentos de vibração muito mais elevada. Noventa por cento da personalidade pode não querer fazê-lo, mas os dez por cento que estão escolhendo esse caminho a bem da saúde e da totalidade têm mais poder, no fim das contas, do que os noventa por cento que estão lutando para permanecer onde estão e seguir seu próprio caminho, porque o Universo favorece os dez por cento, e não os noventa por cento.

Pense em termos do que significa tomar decisões e tente fazer com que o restante de sua personalidade esteja em concordância com elas, pense em termos da escolha responsável. Desse modo, enquanto se move em direção à cura de quem você é e empreende a jornada consciente rumo ao que você quer, reconheça que o Universo favorece a parte de você que está imbuída da intenção mais clara.

Você está constantemente recebendo orientação e assistência de seus guias e Mestres, assim como do próprio Universo. Quando escolhe conscientemente avançar em direção à energia de sua alma, você solicita essa orientação. Quando pede ao Universo que o abençoe em seu esforço de sintonizar-se com sua alma, você abre um canal entre você e seus guias e Mestres. Auxilia-lhes o esforço de auxiliá-lo. Invoca o poder do mundo não-físico. Uma bênção é isto: a abertura de um canal entre você e a orientação não-física.

A personalidade que tem consciência de sua fragmentação e luta conscientemente para tornar-se íntegra não precisa criar carma negativo para evoluir, para aprender a criar responsabilidade, para adquirir poder autêntico. Quando nos empenhamos conscientemente numa escolha entre os desejos de nossa personalidade e as necessidades de nossa alma, ingressamos numa dinâmica através da qual nos capacitamos a evoluir sem criar carma negativo. Essa dinâmica é a dinâmica da tentação.

Que é tentação?

Tentação é a maneira compassiva pela qual o Universo nos

permite passar pelo que seria uma dinâmica cármica negativa caso lhe permitíssemos tornar-se fisicamente manifesta. É a energia graças à qual nos é dada a misericordiosa oportunidade de passar ilesos por uma lição da vida, por uma situação que, se formos capazes de ver com clareza, pode ser removida e curada dentro dos limites do nosso mundo particular de energia sem transbordar para o campo de energia mais amplo das outras almas. A tentação é um ensaio geral para uma experiência cármica da negatividade.

A dinâmica toda da tentação é o método compassivo de permitir-nos enxergar os perigos potenciais que nos espreitam e purificar-nos antes que possamos afetar as vidas dos outros. É uma forma de engodo na qual a negatividade é compassivamente afastada de nós, se formos capazes de vê-la antes de criarmos carma. Quando respondemos ao engodo, purificamo-nos se percebemos a experiência sem passar efetivamente por ela. Purificamo-nos sem criar carma e interação com outras almas. A tentação é uma oportunidade preciosa. É o ímã que atrai a nossa percepção para aquilo que criaria carma negativo se lhe fosse dado passar despercebido.

Em outras palavras, a tentação é uma forma de pensamento criada para afastar do sistema de energia humano a negatividade possível sem prejudicar os outros. A alma compreende isso. Entregue a si própria, ela poderia operar completamente dentro do sistema de energia humano, sem transbordar e contaminar a consciência coletiva.

As tentações não são armadilhas. Cada tentação é uma oportunidade através da qual a alma é capaz de aprender sem criar carma, para evoluir diretamente através da escolha consciente. A dinâmica da tentação constitui a energia daquilo que pode ser visto como a dinâmica de desafio da experiência humana, como o princípio luciférico. Serve ao propósito de auxiliar a evolução do poder.

Lúcifer significa "o que traz a Luz". Tentação, o princípio luciférico, é a dinâmica através da qual cada alma recebe misericordiosamente a oportunidade de desafiar as partes de si mesma que resistem à Luz. A energia luciférica é representada, na história do Jardim do Éden, por uma cobra, pela idéia da presença não-humana que pode tentar, mas, literalmente, não dominar o ser humano. A energia luciférica nos tenta, tenta o nível do ser humano que é mortal, ou seja, pentassensorial, mas a cobra não pode destruir a alma. Pode apenas ameaçar a parte de nós que se torna demasiado apegada ao físico. A cobra é a Terra. Quando estamos muito perto da Terra, quando veneramos os deuses da Terra e fazemos da Terra nosso deus e senhor, então seremos mordidos.

A energia que traz a Luz, a energia luciférica, que tentou a pessoa de Jesus de Nazaré, que se tornou Cristo, e a pessoa de Sidarta Gautama, que se tornou Buda, é a mesma energia que tenta você. Ela tenta o contabilista a roubar, o aluno a colar, a esposa a cometer adultério, o ser humano a procurar o poder externo. Ela opõe a Luz de nossa alma imortal à luz física da nossa personalidade. Põe diante de nós o caminho vertical e o caminho horizontal. Qual é a natureza da transformação? É o caminho compassivo da tentação.

A tentação é a maneira misericordiosa de infundir em cada alma seu verdadeiro poder. Quando você é seduzido ou ameaçado por circunstâncias externas, você perde poder – elas adquirem poder sobre você. Cada escolha que você faz para entrar em sintonia com a energia de sua alma aumenta o seu poder. É assim que se adquire o poder autêntico. Ele é construído passo a passo, escolha por escolha. Não se pode planejá-lo ou solicitá-lo. É preciso adquiri-lo.

Quando você opta por liberar a cólera, por exemplo, você cria um padrão de energia ao redor do qual suas experiências se formarão. Esse padrão de energia irá atrair para a superfície a cólera que está dentro de você para que você possa liberá-la. Quando você opta por desafiar e liberar um aspecto negativo de si mesmo, esse aspecto vem para o primeiro plano. Tudo começa a servir a esse propósito. Seus sonhos lhe mostram as dinâmicas arquetípicas de sua cólera. Você se vê continuamente em situações que geram cólera em seu íntimo. Sua vida parece estar distorcida em torno da cólera, porque esse é o aspecto de si mesmo que você resolveu desafiar, e o Universo respondeu à sua escolha com compaixão.

Quando invocamos conscientemente o crescimento, invocamos conscientemente a sabedoria, invocamos conscientemente as partes de nossa personalidade não-integradas para assomarem ao primeiro plano de nossa vida. Cada irrupção de cólera – ou ciúme, ou medo – nos permite escolher entre desafiá-la ou consenti-la. Quando a desafiamos, ela perde poder e nós ganhamos poder. Quando somos tentados a deixar-nos levar pela cólera – ou pelo ciúme, ou pelo medo – e desafiamos esse sentimento, adquirimos poder. Não haveria acumulação de força interior se as escolhas que fazemos não requeressem disciplina e intenção.

Quando nos decidimos a não vencer a tentação, o que na verdade estamos fazendo é dar-nos permissão para sermos irresponsáveis. Os desejos e impulsos aos quais não podemos resistir, que não temos o poder de dominar, são os nossos vícios. Os vícios são os desejos das partes de nossa personalidade que são muito fortes e resistentes à energia de nossa alma. São os aspectos de nossa personalidade, de nossa alma encarnada, que mais precisam de cura. São as nossas maiores insuficiências.

Nosso vício pode ser o alimento, as drogas, a cólera ou o sexo. Podemos ter mais de um vício. Em cada caso, não podemos libertar-nos do vício enquanto não compreendermos a dinâmica subjacente a ele. Na base de cada vício está a percepção do poder como algo externo, como a capacidade de controlar e usar o ambiente e os outros. Na base de cada vício está um problema de poder.

A jornada para a alma começa com a compreensão de que somos levados automaticamente, como espécie, a chegar a um acordo com o poder. Cada ser humano está passando pelas causas e efeitos de suas escolhas, de seus desejos de preencher o vazio, de seus pontos fracos. Essa dinâmica pode ser descrita em termos de uma humanidade insegura, mas isso é apenas o óbvio. O mecanismo em funcionamento é a jornada rumo à aquisição do genuíno, do autêntico poder.

Eis por que cada ser humano luta tão profundamente com o poder: a falta de poder, a aquisição de poder, o que ele realmente é, como obtê-lo. Por baixo de cada crise – emocional, espiritual, física e psicológica – está o problema do poder. Dependendo da lente que usarmos para interpretar nossa crise, ou nos aproximaremos de nossa alma ou da Terra.

A jornada rumo à totalidade requer que olhemos com sinceridade, abertamente e com coragem para dentro de nós mesmos, para dentro das dinâmicas que estão por trás do que sentimos, do que percebemos, do que valorizamos e da maneira como agimos. É uma jornada através de nossas defesas, e além delas, para que possamos vivenciar conscientemente a natureza de nossa personalidade, enfrentar o que ela produziu em nossa vida e optar por mudá-lo.

10

Vício

Você não pode encetar o trabalho de libertar-se de um vício enquanto não for capaz de reconhecer que está viciado. Enquanto você não se dá conta de que tem um vício, não é possível reduzir-lhe o poder. A personalidade racionaliza os seus vícios, veste-os com roupagens atrativas. Representa-os, para si mesma e para os outros, como desejáveis ou benéficos. A pessoa viciada em álcool, por exemplo, dirá a si mesma ou aos outros que a embriaguez é um modo de relaxar depois de um dia tenso, um modo de divertir-se, sendo, portanto, construtiva. A pessoa viciada em sexo dirá a si mesma ou aos outros que os encontros sexuais fortuitos são expressões de intimidade, ou de amor, que refletem uma percepção evoluída e liberada, sendo, portanto, desejáveis.

O reconhecimento de nossos próprios vícios requer um trabalho interior. Requer que olhemos claramente para os pontos em que perdemos poder em nossa vida, onde somos controlados pelas circunstâncias externas. Exige que rompamos nossas defesas. Mesmo quando a busca de lucidez ou as circunstâncias externas – tais como um ferimento causado pelo fato de dirigir embriagado, ou um casamento destruído pela promiscuidade – evidenciam a existência de um vício, a personalidade quase sempre se apega a uma percepção de seu vício primeiro como um mero problema, depois como um pequeno problema, em seguida como um problema maior e, por fim, como um problema significativo.

Por que a personalidade resiste a reconhecer seus vícios? Reconhecer um vício, admitir que se tem um vício, é reconhecer que uma parte de si mesmo está fora de controle. A personalidade resiste a reconhecer seus vícios porque isso a obriga a escolher entre deixar uma parte de si mesma fora de controle e fazer alguma coisa a respeito. Uma vez reconhecido, o vício não pode ser ignorado nem liberado sem uma mudança de vida, de auto-imagem, de todo um contexto perceptivo e conceitual. Não queremos fazer isso porque é de nossa natureza resistir à mudança. É por isso que resistimos a reconhecer nossos vícios.

Um vício não é simplesmente uma atração. É natural que os homens e as mulheres se admirem mutuamente, por exemplo, e sintam uma simpatia e atração mútuas. O vício é mais que isso. O vício se caracteriza pelo magnetismo e pelo medo. Há atração mais medo, e mais uma irrupção de energia desproporcional à situação. As atrações são uma parte agradável da vida. Podem ser satisfeitas e deixadas para trás, mas os vícios não.

Um vício não pode ser saciado. Um vício sexual, por exemplo, não pode ser satisfeito por meio do sexo. Este é o primeiro indício de que a dinâmica envolvida no que parece ser um vício sexual não é sexual, e de que, ao contrário, as experiências de atração ou repulsa sexual viciosa servem a uma dinâmica mais profunda.

Um vício pode ser anestesiado. Um vício sexual, por exemplo, pode tornar-se latente num relacionamento devido ao medo de perder a segurança desse relacionamento, mas não pode ser curado sem o reconhecimento de que ele existe e sem a compreensão da dinâmica que lhe é subjacente. A não ser que isso ocorra, ele irromperá no relacionamento, ou na fachada de monogamia, nos momentos em que a personalidade se sentir mais insegura ou mais ameaçada. Nessas ocasiões, a personalidade sentirá atração sexual por outros.

Os vícios sexuais são os mais universais em nossa espécie, porque as questões do poder estão ligadas diretamente à aprendizagem da sexualidade, na estrutura humana. A sexualidade e as questões do poder foram criadas em nossa espécie para se complementarem. Eis por que todo ser humano sexualmente descontrolado na verdade enfrenta problemas de poder nos quais ele ou ela perdeu o controle no tocante a seu próprio poder. Em essência, as duas coisas são idênticas. Uma pessoa não pode estar em seu centro de poder e ser sexualmente descontrolada ou dominada pela corrente de energia sexual. Essas duas coisas não podem existir simultaneamente.

Qual é a dinâmica que está por trás do vício sexual?

A experiência da atração sexual viciosa é um sinal, para a pessoa viciada, de que, nesse momento, ele ou ela está sentindo falta de poder e desejando supri-la à custa de uma alma mais fraca. Essa é a dinâmica subjacente a todos os vícios: o desejo de devorar uma alma mais fragmentada do que a nossa. Isso é tão feio de olhar como de vivenciar, mas constitui o âmago da negatividade em nossa espécie.

O sexo sem reverência, como o comércio sem reverência, a política sem reverência ou qualquer outra atividade praticada sem reverência refletem a mesma coisa: uma alma nutrindo-se à custa de outra alma mais fraca. O modo de nos libertarmos de um vício sexual consiste, pois, em nos lembrarmos, quando sentimos tal atração, de que nesse momento estamos desprovidos de poder e desejamos obtê-lo à custa de uma alma mais fraca do que nós.

Em outras palavras, quando você estiver sentindo a atração de um vício sexual, considere imediatamente que está com uma espécie de impotência que provoca o desejo de usar os outros para vir à tona em você. Esse desejo é sentido como atração sexual. Lembre-se claramente do que é que está sendo inflamado em você. Isso não significa que você não sinta fisicamente uma ligação ou atração, mas, sob o disfarce dessa atração, o que o leva a querer agir é uma dinâmica diferente, uma dinâmica de impotência.

Deixe que essa consciência penetre profundamente no seu íntimo, de modo que, nessa questão, se quiser ceder ao seu vício, você precise situar-se na sua própria realidade.

Que significa isso?

Se você é casado ou está envolvido num relacionamento monogâmico, lembre-se de que ceder ao seu impulso pode ou poderá custar-lhe o casamento ou o relacionamento. Pergunte a si mesmo se o que deseja fazer vale a pena. Se você for uma pessoa sadia, lembre-se de que ceder ao seu impulso poderá custar-lhe a saúde, já que você não sabe se o parceiro que escolheu tem ou não uma doença, como a AIDS. Pergunte a si mesmo se o que deseja fazer vale esse risco.

Lembre-se de que o parceiro por quem você tem mais probabilidade de ser atraído é igualmente atraído por outros, de que ele ou ela não tem mais sentimento por você do que você por ele ou ela. Você pode ter certeza disso, porque a atração sexual que você sente por essa pessoa é uma resposta, em seu íntimo, de um sistema de detecção de fraqueza, por assim dizer, que você usou para sondar as pessoas ao seu redor. Quando ele localiza uma pessoa suficientemente fraca para se submeter a você, para ser seduzida por você, desencadeia em seu íntimo a experiência da atração sexual. Você afirmará sua masculinidade, ou sua feminilidade, explorando a fraqueza dessa pessoa? Isso lhe proporcionará o que você deseja obter?

Lembre-se de que vocês dois optaram por interagir de um modo que não inflama seus sentimentos porque, se seus sentimentos fossem despertados, eles só lhe permitiriam saber que a pessoa que o atrai não está mais emocionalmente envolvida com você do que você com ela. Uma coisa é você pensar que está sexualmente envolvido com alguém sem sentir nada, outra é admitir que também seu parceiro não está sentindo nada por você.

Se você observar atentamente a dinâmica em que está envolvido, verá que, quando uma alma procura nutrir-se à custa de outra alma mais fraca, e uma alma mais fraca responde, ambas são a alma mais fraca. Quem se nutre à custa de quem? A lógica da personalidade pentassensorial não pode apreender isso, mas a lógica de ordem superior do coração o vê com clareza. Haverá realmente uma diferença quando duas consciências estão tentando envolver-se numa dinâmica que, por fim, levará ao equilíbrio quando as partes ausentes em ambas são idênticas? O que provoca a necessidade de dominar, por exemplo, é a mesma coisa que provoca a necessidade de ser submisso. A única coisa que muda é a escolha do papel que a alma deseja representar na execução de um mesmo esforço.

Penetre no seu medo, no seu sentimento de querer tomar uma bebida ou fazer sexo com um parceiro diferente. Recapitule seriamente todas as vezes em que pensou que ganharia muito com isso e verifique o que de fato ganhou.

Assuma o pensamento de que você cria suas experiências. Seu medo provém da percepção de que uma parte de você está criando a realidade que deseja, quer você queira, quer não, e do sentimento de que você é impotente para evitar isso. Mas isso não é verdade. É essencial compreender: seu vício não é mais forte que você, não é mais forte que aquilo que você quer ser. Embora possa parecer o contrário, ele só pode prevalecer se você o permitir. Como qualquer fraqueza, ele não é mais forte que a alma ou a força de vontade. Sua força indica apenas a intensidade do esforço a ser aplicado no sentido da transição, no sentido de você se tornar um ser íntegro nessa área de sua vida.

Reconheça que o que você está fazendo quando teme ser tentado e não ser capaz de resistir à tentação é criar uma situação que lhe dará permissão para agir irresponsavelmente. É possível criar um teste pelo qual não se possa passar? Sim. A experiência de querer ser tentado para testar a si mesmo é o ato de criar uma oportunidade para agir irresponsavelmente, para dizer a si mesmo: "Eu bem sabia que não podia resistir" e, assim, ceder ao vício. A essência do ato de criar uma tentação maior que o nosso poder de resistir-lhe é o desejo de não assumir a responsabilidade por nossa escolha.

Quanto maior for o desejo de sua alma de curá-lo de seu vício, maior será o custo da manutenção do mesmo. Se você – se a sua alma – optou por curar um vício agora, você verificará que a decisão de manter o seu vício lhe custará as coisas pelas quais tem mais apreço. Se for a sua esposa ou marido, seu casamento será colocado na balança contra o seu vício. Se for a sua carreira, esta será colocada na balança.

Isso não é obra de um Universo cruel ou de um Deus maligno. É uma resposta compassiva ao nosso desejo de curar-nos, de tornar-nos íntegros. É o Universo compassivo dizendo-nos que nossas inadequações são tão profundas que a única coisa capaz de deter-nos será algo de valor igual ou maior opondo-se às nossas inadequações. É a mesma dinâmica expressa em termos de espaço, tempo e matéria pela segunda lei do movimento: "Uma mudança no momento (massa, direção de movimento e velocidade) de um corpo em movimento é diretamente proporcional à força que afeta o corpo em movimento e ocorre na direção em que a força está agindo." Pela magnitude dos custos de nosso vício podemos medir a importância de sua cura para a nossa alma e a força de nossa intenção interior de operá-la.

Tente compreender, e compreender realmente, que o que está entre você e uma vida diferente é uma questão de escolha responsável. Em seus momentos de medo, o que está obscurecido em seu pensamento é o poder e a magnitude de sua própria escolha. Reconheça o que o seu próprio poder de escolha é. Você não está à mercê da sua insuficiência. A intenção que o investirá de poder provém de uma parte de você que sugere que você é realmente capaz de fazer escolhas responsáveis e extrair delas o poder, que você pode fazer escolhas que irão aumentar, e não diminuir, o seu poder, que você é capaz de realizar ações de totalidade. Teste o seu poder de escolha, pois cada vez que você escolhe de maneira diferente você diminui progressivamente o poder de seu vício e aumenta progressivamente seu poder pessoal.

Quando examinar suas fraquezas e perceber algum nível de atração viciosa, faça a si mesmo as perguntas cruciais do espírito: Seguindo esses impulsos, você aumenta seu nível de esclarecimento? Isso lhe trará o genuíno poder? Isso o tornará mais amoroso? Isso o tornará mais íntegro? Faça a si mesmo essas perguntas.

Este é o caminho que conduz à libertação de um vício: situe-se na sua realidade, passo a passo. Perceba as conseqüências de suas decisões e escolha de conformidade com essa percepção. Quando sentir a atração viciosa do sexo, do álcool, das drogas ou do que quer que seja, lembre-se destas palavras: Você está entre dois mundos, o de seu eu inferior e o de seu eu pleno. Seu eu inferior é tentador e poderoso porque não é tão responsável, amoroso e disciplinado quanto seu eu pleno. Esta outra parte de você é íntegra e mais responsável, solícita e poderosa, mas requer o caminho do espírito esclarecido: a vida consciente. Vida *consciente*. A outra escolha é a permissão inconsciente para agir sem consciência. É a tentação.

Qual é a sua escolha?

Se a sua decisão é tornar-se íntegro, mantenha-a. Você não será tão tentado ou amedrontado quanto pensa. Tenha sempre em mente: Você está entre seu eu inferior e seu eu integral. Escolha com sabedoria, porque agora o poder está totalmente em suas mãos. Não subestime o poder da consciência. Quando você vive e faz escolhas conscientes a cada momento e a cada dia, você se enche de força e seu eu inferior se desintegra.

Quando você escolhe investir-se de poder, a parte de si próprio que você desafia, a tentação que você desafia, aflorará repetidamente. Cada vez que a desafia, você adquire poder e ela perde poder. Se você desafia o vício do álcool, por exemplo, e é tentado vinte vezes nesse mesmo dia a tomar um drinque, desafie essa energia a cada vez que ela irrompe. Se considerar cada recorrência da atração como um retrocesso ou como uma indicação de que sua intenção não está operando, você escolherá o caminho da aprendizagem através do medo e da dúvida. Se considerar cada recorrência como uma oportunidade que lhe é oferecida, em resposta à sua intenção, para liberar sua inadequação e adquirir poder sobre ela, você escolherá o caminho da aprendizagem através da sabedoria, pois ela é exatamente isso.

Na primeira vez em que desafiar o seu vício – e na segunda, e na terceira – você poderá sentir que nada foi realizado. Você pensa que o poder pode ser obtido tão facilmente? Quando mantém sua intenção e opta repetidamente por tornar-se íntegro, você acumula poder, e o vício que você pensava ser incapaz de desafiar perde o seu poder.

Quando desafia um vício e opta por tornar-se íntegro, você se sintoniza com sua ajuda não-física. O trabalho a ser feito é seu, mas a assistência está sempre lá, ao seu dispor. O mundo não-físico – as ações de seus guias e Mestres – está em contato com o seu de várias maneiras: o pensamento que traz o poder, a memória que adverte, a ocorrência inesperada que fortalece. Há muita alegria no mundo não-físico quando uma alma libera uma negatividade importante e a qualidade de sua consciência alcança elevadas freqüências de Luz. Assim, não sofra na solidão – tal coisa não existe.

Veja a si mesmo como alguém que está buscando a cura e perceba a complexidade daquilo que precisa ser curado. Não pense que você está sozinho, que não existem outros seres humanos de igual complexidade. Tudo o que o ser humano vivencia está relacionado com a jornada rumo à totalidade. Assim, você pode olhar para cada indivíduo e assegurar-se de que nenhum deles é integral. Todos estão em processo evolutivo. Se fossem integrais, não estariam fisicamente em nosso plano. Em outras palavras, você tem a companhia de bilhões de almas.

Depois de ter trabalhado arduamente, dedique algum tempo a avaliar o que já fez. Não fique o tempo todo considerando a distância que ainda precisa viajar. Junte-se aos seus Mestres e guias não-físicos para aplaudir aquilo que já realizou. Isso não significa reincidir em seu vício: significa entregar-se ao repouso quando dele precisar, reconhecer quando está exausto e conceder a si mesmo a graça de saber que mesmo o melhor de nós se cansa.

Compreender as dinâmicas que estão por trás de seu vício é uma coisa, mas estabelecer realmente a ligação emocional para libertar-se dele é outra história. Seu vício não é invencível; ele não é esmagador. Se continua a vê-lo dessa maneira, é porque, nas profundezas de seu coração, você não se considera capaz de liberar o vício, mesmo que compreenda por que é atraído por ele. Se o seu vício se prolonga, pergunte a si mesmo se quer realmente liberá-lo, porque em seu coração você não o quer.

Enquanto não preencher suas inadequações internas, você estará à mercê de seu vício. Para liberá-lo, é necessário penetrar em suas inadequações, reconhecer que elas são reais e trazê-las para a luz da consciência, a fim de curá-las. É necessário examinar profundamente as partes de você que têm tal poder sobre sua pessoa e encará-las com a maior sinceridade possível. Pode ser que seu vício lhe tenha proporcionado um dos poucos prazeres genuínos de sua vida. O que é mais importante para você, sua totalidade, e sua liberdade, ou os prazeres hauridos ao satisfazer o seu vício?

Quando você compreende que seu vício resulta de uma inadequação, a questão se converte em como responder a essa inadequação – tomando outro drinque, procurando outro parceiro sexual ou buscando interiormente as coisas que preencherão o todo? Verifique quão forte é o poder de seu vício, quão profundamente ele o atrai, e pergunte a si mesmo se está realmente na hora de liberar essa forma de aprendizagem. Cabe a você perguntar e responder. Você pode ouvir a orientação de seus Mestres não-físicos e achar que ela lhe oferece um caminho de sabedoria mais elevada, mas pode, no mesmo instante, darse conta de que não está pronto para percorrer esse caminho. Pode persuadir-se de que ainda não chegou a hora, de que ainda não é suficientemente forte para viver de um determinado modo. É possível que você tenha de enfrentar esse fato.

Por fim, você tomará o caminho mais elevado, mas se quiser interromper a viagem por um dia, uma semana ou por sete vidas, não há nenhum problema. Seus Mestres vêem as coisas de uma perspectiva que não inclui o tempo. Para você, a sabedoria mais profunda consiste em saber que, finalmente, você tomará o caminho da consciência. Se é esse o caminho que você finalmente tomará, por que esperar? Às vezes, porém, é mais sábio esperar enquanto o resto de você se prepara para a viagem. Não há nada de vergonhoso nessa decisão.

O Universo não julga; mais cedo ou mais tarde você alcançará o poder autêntico. Conhecerá o poder do perdão, da humildade, da clareza e do amor. Evoluirá para além da experiência humana, para além da escola terrestre, para além do ambiente de aprendizado do espaço-tempo-matéria. Não é possível deixar de evoluir; tudo no Universo evolui. Trata-se apenas de saber de que maneira você preferirá aprender enquanto evolui. A escolha é sempre sua, e sempre há sabedoria em cada escolha.

Quando voltar para casa, quando deixar para trás seu corpo e sua personalidade, você deixará para trás suas inadequações, seus medos, cóleras e ciúmes. Eles não existem, nem podem existir, no reino do espírito. Eles são as experiências da personalidade, do tempo e da matéria. Você reingressará na plenitude do ser que você é. Perceberá com olhos amorosos e compreensão compassiva as experiências de sua vida, incluindo aquelas que pareciam ter grande controle sobre você. Verá a que propósitos elas serviram. Examinará o que foi aprendido e transportará tudo isso para a sua próxima reencarnação.

Ao escolher a continuidade de seu vício, você escolhe a experiência do carma negativo; escolhe a criação sem compaixão, a inconsciência; escolhe a aprendizagem através das experiências criadas por suas intenções inconscientes; escolhe a aprendizagem através do medo e da dúvida, porque teme o seu vício e duvida de seu poder de desafiá-lo com êxito.

Ao optar por desafiar o seu vício, por avançar conscientemente rumo à totalidade, você escolhe a aprendizagem através da sabedoria; opta por criar suas experiências conscientemente, por sintonizar as percepções e a energia de sua personalidade com sua alma; opta por criar na realidade física a realidade que sua alma deseja criar; opta por deixar sua alma fluir através de você; opta por deixar a Divindade moldar o seu mundo.

Quando combate um vício, você está diretamente empenhado na cura de sua alma; lida diretamente com o problema de sua vida. É esse o trabalho que precisa ser feito. Quando encara suas lutas mais profundas, você se aproxima de sua meta mais elevada. Quando traz para a luz, cura e libera suas correntes mais profundas de negatividade, você permite que a energia de sua alma penetre diretamente nas experiências e eventos da realidade física, moldando-os e realizando livremente suas tarefas na Terra.

Este é o trabalho da evolução. Este é o trabalho para o qual você nasceu.

11

Relacionamentos

Existem certas dinâmicas de crescimento que só ocorrem dentro da dinâmica do compromisso. Sem o compromisso, não podemos aprender a cuidar mais de outra pessoa do que de nós; não podemos aprender a valorizar o aumento de força e clareza em outra alma, mesmo que isso ameace os desejos de nossa personalidade. Quando liberamos os desejos de nossa personalidade a fim de facilitar e estimular o crescimento de outra pessoa, sintonizamo-nos com sua alma. Sem o compromisso, não podemos aprender a ver os outros tal como nossa alma os vê – como belos e poderosos espíritos de Luz.

O arquétipo da parceria espiritual – parceria entre iguais com vistas ao crescimento espiritual – está emergindo em nossa espécie. Esse arquétipo difere do arquétipo do casamento, criado para promover a sobrevivência física, e no qual os parceiros não se vêem necessariamente como iguais. Quando dois indivíduos ingressam num casamento, a capacidade de cada um deles de sobreviver fisicamente é aumentada. Juntos, são mais capazes de encontrar fogo, abrigo, alimento e água e de se defender. O arquétipo do casamento reflete a percepção do poder como coisa externa.

O arquétipo da parceria espiritual reflete a jornada consciente dos seres humanos multissensoriais rumo ao poder autêntico. Os parceiros espirituais reconhecem a existência da alma e se empenham conscientemente em promover-lhe a evolução; reconhecem dinâmicas não-físicas em ação no mundo do tempo e da matéria; vêem a matéria como o nível de Luz mais denso, ou mais pesado, que está sendo continuamente modelado e remodelado pelas almas que partilham essa esfera de aprendizado; criam em conjunto, conscientemente, suas experiências um com o outro, assim como suas experiências com uma Terra viva que ama intensamente a Vida e com um Universo compassivo.

As comunidades, as nações e as culturas – todas as nossas criações coletivas – são edificadas com base nos valores e percepções da personalidade pentassensorial, os valores refletidos pelo arquétipo do casamento. Destinam-se a servir à sobrevivência física da nossa espécie e refletem também as decisões desta no sentido de aprender através do medo e da dúvida.

Todo o nosso mundo está construído com base na energia da personalidade pentassensorial, que optou por aprender através do medo e da dúvida. Nações temem nações, raças temem raças e os sexos se temem mutuamente. A exploração da realidade física, que constitui o poder externo, poderia ter sido feita num espírito de cooperação com a Terra e de respeito por ela. Em vez disso, optamos, como espécie, por explorá-la com um sentido de domínio e utilização. Esse é o caminho da aprendizagem através do medo e da dúvida – medo do ambiente físico e dúvida quanto a nos adaptarmos naturalmente a ele.

Nosso mundo reflete a forma de pensamento básica de que não existe vida depois da morte, e a única coisa que assegura o poder nesta vida é aquilo que pode ser adquirido e possuído. Falamos, às vezes, de vida depois da morte, mas na verdade não acreditamos que, depois de deixarmos a Terra, continuaremos a ser responsáveis pelas escolhas que fizemos neste mundo, senão nossas escolhas seriam bem diferentes.

Nossa espécie já não é humilde – é desprovida de reverência, é arrogante e orgulhosa de sua própria tecnologia, ilude-se constantemente quanto ao controle que exerce, cria o caos e ainda se recusa a ver que lhe é impossível exercer tal controle. Depredamos a Terra e exploramo-nos uns aos outros; destruímos as florestas, os oceanos e a atmosfera; escravizamo-nos uns aos outros, torturamos, espancamos, humilhamos e matamos uns aos outros.

Quando o arquétipo da parceria espiritual – de indivíduos que se unem em igualdade com vistas ao crescimento espiritual – emerge no nível da comunidade, cria, nesse nível, valores e percepções que refletem os valores e percepções da personalidade multissensorial. Assim como os indivíduos que se unem numa parceria espiritual e optam por expressar sua união através da convenção do casamento infundem a energia da parceria espiritual no arquétipo do casamento, criando novos valores e comportamentos no contexto do matrimônio, os indivíduos que se unem numa parceria espiritual no nível da organização, da cidade, da nação, da raça ou do sexo infundem a energia da parceria espiritual na consciência coletiva desses níveis, criando aí novos valores e comportamentos.

O processo evolutivo que ocorre no nível do indivíduo é o mesmo que ocorre em cada nível de interação entre indivíduos. Quando um indivíduo invoca a energia do arquétipo da parceria espiritual, não só a parceria que ele forma com outro indivíduo é afetada como também a sua comunidade, sua nação e a aldeia global. Nossa decisão de evoluir conscientemente através da escolha responsável contribui não apenas para a nossa evolução pessoal como também para a evolução de todos os aspectos da humanidade dos quais participamos. Não é apenas você que está evoluindo através de suas decisões, mas toda a humanidade.

Se você deseja que o mundo se torne afetuoso e compassivo, torne-se você mesmo afetuoso e compassivo. Se deseja diminuir o medo no mundo, diminua o seu próprio. Tais são as doações que você deve fazer. O medo que existe entre as nações é um macrocosmo do medo que existe entre os indivíduos. A percepção do poder como coisa externa, que separa as nações, é a mesma que existe entre os indivíduos; e o amor, a clareza e a compaixão que emergem no indivíduo que escolhe conscientemente sintonizar-se com sua alma são os mesmos que estabelecerão a harmonia entre os sexos, as raças e os vizinhos. Não existe outro caminho. Embora cada ser humano seja responsável pela qualidade da Vida que vive pessoalmente, essa qualidade se estende simultaneamente ao macrocosmo.

A ameaça de extermínio nuclear, por exemplo, é uma idéia ou concepção macrocósmica no nosso planeta e, para dissipar-se, exige a completa evolução do microcosmo. Enquanto aqueles que se empenham em estabelecer a harmonia no nível das nações nutrirem em si mesmos o ódio e a violência que tentam curar entre as nações, a harmonia que tentam criar no nível macrocósmico não pode tornar-se realidade. O que está em um está no todo e, assim, em última análise, cada alma é responsável pela totalidade do mundo.

Quando se compromete numa parceria espiritual com outro ser humano, você infunde na arena física a energia do arquétipo da parceria espiritual; começa a viver segundo os valores, percepções e ações que refletem a igualdade com seu parceiro e um compromisso com vistas ao desenvolvimento espiritual de ambos; começa a renunciar aos desejos de sua personalidade para atender às necessidades de crescimento espiritual de seu parceiro e, assim fazendo, você mesmo cresce. É assim que funciona a parceria espiritual.

Você começa a ver que aquilo que é necessário à saúde de sua parceria é idêntico ao que é necessário ao seu próprio crescimento espiritual, que cada um de vocês possui as peças que faltam no outro. Se você for ciumento, por exemplo, descobrirá que é o ciúme que faz emergir em seu parceiro um aspecto que precisa ser curado e que esse aspecto é refletido em você próprio. Você começa a valorizar a contribuição de seu parceiro para o seu desenvolvimento; verifica que as percepções e observações dele ou dela são valiosas e, na verdade, básicas para o seu crescimento, que as conversas entre vocês agitam águas profundas.

Cumprindo sua função na parceria, vocês aprendem a desempenhar os papéis do amor, do compromisso e da confiança; aprendem que o amor, por si só, não basta, que sem confiança não serão capazes de dar e receber o amor que sentem um pelo outro; aprendem que seu compromisso deve ser traduzido de uma forma que atenda às necessidades de ambos; aprendem a valorizar as necessidades do parceiro tanto quanto as próprias, porque a parceria a que aspiram requer dois indivíduos sadios e intimamente seguros.

Vocês aprendem a confiar não apenas um no outro, mas também em sua capacidade de crescerem juntos; aprendem que põem sua parceria em grande risco quando evitam encarar aquilo que ameaça destruí-la. Não é fácil expressar o que vai no nosso íntimo, especialmente aquilo que nos faz sentir vulneráveis, aflitos, irritados ou perturbados. São essas emoções que conferem poder às palavras suscetíveis de ferir ou curar. Vocês aprendem que compartilhar os seus cuidados com consideração e com a intenção de curar e confiar no processo é o único caminho adequado. Quando abordam suas necessidades com coragem, e não com medo, vocês promovem um sentimento de confiança. A verdadeira condição humana, em sua forma mais perfeita, não tem segredos. Ela não se oculta, mas existe na claridade do amor.

Vocês aprendem a não fazer coisas estúpidas e impensadas

um ao outro; aprendem que querer o que querem não é o bastante, mas que ambos devem desejá-lo profundamente e criá-lo todos os dias, que devem concretizá-lo e conservá-lo com suas intenções. À medida que a consciência de cada um de vocês se torna mais clara, sua parceria se enriquece.

Vocês aprendem o valor de se considerar a posição do outro. Ao tornar-se a outra pessoa, ao entrar efetivamente no medo do outro e em seguida retornar ao seu próprio ser, você se abre para a conversação que transcende o pessoal e alcança a cura no impessoal. Isso lhes permite ver um ao outro como companheiros de folguedos enquanto trabalham sobre as áreas que precisam ser curadas em cada um de vocês. Mesmo nos momentos mais difíceis de seu trabalho sobre os sentimentos de insegurança, vocês podem permanecer lúcidos e lembrar-se de que são espíritos que assumiram a experiência física e têm muito mais poder do que estão mostrando nesse momento de fraqueza.

As coisas que a pessoa deve aprender na união espiritual com outro indivíduo são as que o grupo, a comunidade e a nação devem aprender na união espiritual com outros grupos, comunidades e nações. A escolha, em cada caso, é entre aprender através do medo e da dúvida e através da sabedoria, entre as correntes de energia de baixa freqüência da personalidade e as correntes de energia de alta freqüência da alma. Se a ira de uma personalidade em relação a outra cria distância, destrói a intimidade e provoca a atitude defensiva, a ira de uma nação, religião ou sexo em relação a outra produz a mesma coisa. Se o interesse de uma personalidade por outra produz intimidade, afeição e respeito mútuo, o interesse de uma nação, religião ou comunidade por outra produz o mesmo efeito. A dinâmica é idêntica.

Estamos relacionados com todas as formas de Vida neste planeta e para além dele. À medida que evoluímos, alcançamos uma percepção maior da natureza dessa relação e das responsabilidades que assumimos.

Existem diferentes graus de consciência em nossa espécie. O significado da evolução da responsabilidade é que cada ser humano avança através de níveis de responsabilidade em sua marcha para a totalidade. Em outras palavras, se uma alma escolher a lição da responsabilidade, ela se encarnará num ambiente de maior impacto potencial sobre a espécie. A personalidade também deve estar em harmonia com o que a alma escolheu. Se não estivermos conscientemente prontos para isso, não seremos colocados numa posição que nos permita reunir muitos outros para a proteção de nossa alma.

A alma que é nova quanto à experiência humana – por exemplo, uma alma que evoluiu a partir do reino animal e está iniciando sua jornada na evolução humana, embora existam muito poucas nesse estágio – começa numa certa amplitude de freqüência e, para sua própria proteção, encarna-se numa esfera limitada da vida humana. Pode encarnar-se numa região remota, de modo a ter um vida tranqüila que lhe permita familiarizar-se com a experiência física humana. À medida que se torna mais experiente no sistema sensorial humano, na inteligência humana, na conexão entre a energia da alma e a do corpo e naquilo que se espera de uma encarnação humana, sua capacidade de progredir e de se encarnar em centros de atividade mais responsáveis aumenta. Centro de atividade não significa a presença de uma cidade ou universidade, mas de uma atividade de relação cármica.

Em outras palavras, a pessoa que vive numa área remota, onde as tentações da vida e as definições do bem e do mal são muito mais claras, e onde não existem tantas tentações, não se encontra no mesmo centro cármico de uma alma que escolheu encarnar-se numa família, numa comunidade ou numa nação. O centro de atividade de uma alma se refere ao grau de expansão de sua influência cármica e de sua influência energética. A alma precisa ser mais adiantada para lidar com as possibilidades que advêm da expansão das influências de sua energia cármica. Este é o significado da evolução da responsabilidade.

À medida que escolhem a participação consciente em níveis de interação mais abrangentes, as almas assumem não só sua própria transformação como também a das coletividades mais amplas de que fazem parte. Pense em sua consciência em termos de luz física. Essa luz brilha, mas uma luz mais luminosa brilha sobre um âmbito mais amplo e uma luz mais opaca brilha sobre um âmbito mais reduzido. A extensão em que sua luz brilha equivale à largura, profundidade e amplitude de sua influência cármica. Se você é uma luz maior, você brilha sobre todo o globo. Se está evoluindo para uma luz maior, mas ainda é uma luz menor, você brilha num âmbito diferente pelo qual se torna carmicamente responsável, mas seu potencial para mudar sua própria qualidade de consciência e a dos outros é igualmente enorme.

Na esfera das possibilidades e probabilidades oferecidas à alma existem muitas oportunidades, incluindo a possibilidade de a alma escolher, por exemplo, seu caminho de crescimento mais indireto, em vez de um caminho que seja mais natural para a sua energia, por assim dizer. Na privacidade de suas escolhas espirituais, enquanto avança no caminho da fé, da coragem e dos sentimentos para com sua própria humanidade, uma alma pode muito bem abrir essa porta que conduz a uma maior percepção e a uma maior influência e responsabilidade cármicas. Como a probabilidade de isso ocorrer era pequena ao tempo da encarnação da alma, uma porta que só abriria em determinadas circunstâncias – se isso acontecesse e, então, se aquilo acontecesse – pode tornar-se tal que a alma encontre realmente a passagem que conduz a esse caminho.

Toda microconsciência, ou alma individual, afeta a macroconsciência segundo a qualidade de sua Luz, segundo a freqüência de sua consciência. A alma que concorda em se encarnar numa vida na qual tenha potencial significativo para afetar as vidas de muitos é uma grande alma. Ela é global. Sua capacidade de influenciar a vida de milhões ou mesmo bilhões de seres humanos é bem real, como bem real será o seu débito cármico se ela não cumprir sua tarefa de promover a evolução da humanidade. Ela arcará com a responsabilidade cármica de milhões de almas.

As grandes almas que estão em nosso planeta, como todas as almas que nele se encontram devem tomar decisões a cada momento. Quando se consideram as muitas almas da nossa Terra que estão em condições de influenciar as vidas de milhares, milhões ou bilhões de seres humanos, cumpre distingui-las de suas personalidades. Embora uma alma tenha a capacidade de influenciar a vida de bilhões de pessoas, ou mesmo de toda a humanidade, sua personalidade é tentada.

Quando a personalidade Jesus encontrou o princípio luciférico, o princípio que desafia a nossa espécie, quando lhe foi oferecido o poder de dominar todo o globo, de realizar tudo o que pudesse conceber, ele foi tentado? Sim, foi tentado. Se não o fosse, não teria havido poder em sua escolha. Se o caminho da glória, que ele escolheu, não fosse contrabalançado por outro de igual atração, como poderia ter extraído tal poder de sua escolha? Não adquirimos o poder autêntico fazendo escolhas que não nos expandem.

Quando uma alma escolhe o caminho vertical, quando opta por evoluir conscientemente através da escolha responsável, ela se torna capaz de libertar-se de suas próprias negatividades; tende para o poder autêntico; assume, por assim dizer, sua própria negatividade, as intenções inconscientes das partes fragmentadas de sua personalidade. À medida que a personalidade se torna consciente, à medida que evolui para uma personalidade multissensorial e se torna integrada, a freqüência de sua consciência aumenta, Ela se torna total. Suas negatividades desaparecem e a qualidade de sua consciência se torna mais clara. Ela se torna capaz de ver a si mesma e aos outros com compaixão e clareza, com a sabedoria de sua alma.

Quando escolhe a participação consciente em níveis de interação mais abrangentes, a alma se capacita a participar diretamente na liberação de sua família, ou de seu grupo, ou de sua comunidade, ou de sua nação, das negatividades que estão presentes e ativas nesses níveis. Ela também corre o risco de ser contaminada por essas negatividades. Em outras palavras, a alma que procura trazer uma qualidade mais elevada de consciência para um nível de interação humana mais abrangente corre o risco de ser contaminada pelo medo, a ira ou o egoísmo desse nível.

As grandes almas, como a alma que era Gandhi, por exemplo, correm o risco de grande contaminação. No nível do contato de alma, a grande alma lida não apenas com seu próprio medo, seu medo pessoal, mas assume também a evolução do medo coletivo da espécie. É no peso dessa responsabilidade que a grande alma se arrisca à contaminação num grande nível, mas sua possibilidade de liberar o medo da consciência coletiva da espécie pode igualmente concretizar-se.

A consciência de uma grande alma é um símbolo da consciência mais vasta, a macroconsciência, que encerra os mesmos valores, medos e culpas. Essa macroconsciência poderia ser a consciência coletiva dos Estados Unidos, da União Soviética ou da Etiópia. As muitas almas que formam essa coletividade estão em contínuo diálogo com a sua própria. A grande alma é a pessoa que assumiu a tarefa da mudança. Se ela for capaz de transcender o medo, de agir com coragem, a totalidade de seu grupo se beneficiará e cada qual, em sua própria vida, será, subitamente, mais corajoso, embora possa não perceber como nem por quê.

Nem todas as almas cumprem as tarefas que fixaram para si.

Quando observamos as pessoas que se encontram em importantes posições de influência sobre o nosso planeta, podemos ver, pelas escolhas que fizeram, se estão sendo ou não bem-sucedidas em sua missão de promover o avanço da humanidade. Algumas escolheram alinhar-se, como manequins, com a consciência moribunda do ser humano pentassensorial, existente na consciência coletiva de cada uma das nossas nações. Escolheram, em outras palavras, representar um sistema em desintegração e, por isso, seus próprios sistemas estão a desintegrar-se diante de seus olhos. Seus companheiros são corruptos. Seus governos são corruptos.

Essas almas representam uma forma de poder que já não é eficaz, mas falharam quanto à compreensão disso. Atraem para si aqueles cujas consciências estão sintonizadas, simbolicamente e em termos de crenças, com as suas. Escolheram o caminho do padrão inconstante do medo e do egoísmo. Exibem grande energia paranóica, razão pela qual atraem para si governos e militares que têm o mesmo desejo paranóico de destruir a vida, como se a destruição da vida fosse salvar o nosso planeta. Não irá.

Através das decisões que tomaram, essas almas se recusaram a reconhecer que as formas de poder mais velhas, a percepção do poder como coisa externa, deixarão de ser toleradas na Terra. Todavia, a evolução do poder externo para o poder autêntico está em pleno andamento e, assim, suas decisões afetam apenas a maneira como a mudança irá ocorrer. Elas escolheram o caminho do medo e da dúvida, do trauma e da dor.

A diferença entre uma grande alma que se alinha com a abertura, o crescimento e a interdependência, que transcende o seu medo em prol de si mesma e de sua coletividade, e uma alma que não o faz é que a alma que escolhe a abertura tem um diferente nível ativo de coragem, intuição e sabedoria, enquanto a alma que não faz essa escolha se enfraquece consistentemente sob o impacto do medo do coletivo. Escolha após escolha, negatividade sobre negatividade, e eis criado um Hitler. A alma que era Hitler tinha, da mesma forma, um grande potencial.

Toda alma que concorda conscientemente em trazer para o nível da interação humana o amor, a compaixão e a sabedoria que alcançou está tentando, através de sua própria energia, desafiar os padrões de medo desse coletivo. Esse é o padrão arquetípico infundido em nossa espécie pelo Mestre, Jesus. É o que Ele simbolizou quando passou por Sua vida do modo como o fez.

Ele liberou os padrões cármicos negativos do inconsciente coletivo que se haviam acumulado até o Seu tempo. Em cada grande alma há o mesmo padrão – o padrão de assumir o todo através do poder de sua própria consciência para transformá-lo.

Quando uma alma busca o poder autêntico e opta conscientemente por infundir esse poder nos níveis da interação que compartilha com outras almas, ela entra nessa dinâmica; traz para o sistema de energia coletivo a consciência do poder autêntico e, através desse poder, encarrega-se da transformação desse coletivo.

Sua evolução rumo ao poder autêntico, portanto, não afeta apenas você. À medida que a freqüência de sua consciência aumenta, à medida que a qualidade de sua consciência reflete a clareza, a humildade, o perdão e o amor do poder autêntico, ela influencia um número cada vez maior de pessoas ao seu redor. À medida que suas tentações se tornam maiores, o mesmo sucede com sua capacidade de fazer escolhas responsáveis. À medida que você brilha com mais intensidade, que sua Luz e seu poder aumentam com cada escolha responsável, o mesmo sucede com o seu mundo.

12

Almas

Cada ser humano tem uma alma. A jornada rumo à alma individual é o que distingue o reino humano do reino animal, do reino vegetal e do reino mineral. Só o reino humano tem a experiência da alma individual. Eis por que seus poderes de criação são grandes.

O processo da alma se dá através de graus de percepção. Os animais, por exemplo, não têm alma individual – têm alma grupal. Cada animal é parte de uma alma grupal. Cada cavalo é parte da alma grupal do cavalo, cada gato é parte da alma grupal do gato, e assim por diante. Uma alma grupal não é a mesma coisa que uma alma individual.

Considere-se, por exemplo, a alma grupal do búfalo. Existe uma alma grupal de enorme energia impessoal chamada "búfalo". Ela é uma enorme esfera expansiva da energia impessoal que é a consciência do búfalo. Ela existe no nível das dinâmicas de energia, mas não no nível da personalidade individual. Essa energia está em contínuo movimento. Quando sua freqüência aumenta, ela pode transbordar para o nível seguinte; pode também absorver outras freqüências de um nível mais baixo e, assim, a alma continua. É uma alma grupal, e não individual. Não existem almas individuais de búfalo dentro de um todo. Existe apenas um sistema de energia da alma desprovido de individualidade. O comportamento instintivo é o comportamento da alma grupal.

Imagine-se um movimento que se assemelha à foz do rio Mississípi. À medida que seguimos rio acima a partir desse ponto, o rio se torna cada vez mais estreito, até atingir um simples ponto de poder. A área aberta da foz é análoga a uma alma grupal. Seu tamanho, sua natureza coletiva é a alma grupal. Essa é a natureza das almas nos reinos mineral, vegetal e animal. Em outras palavras, "gato" é uma alma gato, "golfinho" é uma alma golfinho, e assim por diante.

No reino animal existem gradações de inteligência e percepção. Por exemplo, o golfinho, o cavalo e o cachorro não têm o mesmo comprimento de onda. A consciência do golfinho está mais próxima da consciência do macaco e, então, mais próxima da consciência do cachorro, mas a consciência do cavalo está num nível mais abaixo. É possível que a alma humana seja produzida através da evolução do reino animal, como uma energia coletiva a partir da alma animal.

Como isso acontece?

A alma golfinho, por exemplo, evolui através de cada golfinho individual. Os avanços particulares de cada golfinho particular promovem o avanço da própria alma do golfinho. O coletivo é incrementado pelas realizações do golfinho individual. O mesmo mecanismo opera no reino humano: com cada um dos nossos avanços individuais, a alma grupal da humanidade – o que chamamos de inconsciente coletivo – evolui. Desse modo, a evolução prossegue na espécie golfinho, assim como em todas as espécies.

Digamos, arbitrariamente, que a consciência da alma cachorro está vinte pontos percentuais abaixo da consciência da alma golfinho, tem vinte pontos a menos que a inteligência do golfinho. Se a alma grupal do cachorro produzir elevada consciência de Luz, é possível para essa consciência libertar-se da alma grupal do cachorro, avançar e penetrar na consciência do golfinho. Do mesmo modo, é possível, e isso efetivamente acontece, que as almas dos seres humanos provenham da energia adiantada da alma golfinho ou da alma macaco e iniciem seu processo de evolução na alma humana.

Ao contrário do animal, você tem uma alma individual. Você é um sistema de energia individual, um micro de um macro. Como parte do micro, você tem todo o poder do macro calibrado para uma forma individual de certas energias. Os animais não são micros de um macro. Os gatos, por exemplo, não têm alma individual ou a energia do ego – são meras manifestações de um vasto macrossistema. Que certos gatos sejam enxotados e outros vivam confortavelmente são apenas os diferentes milhões de freqüências que interagem na alma grupal gato.

Os animais não evoluem através da escolha responsável, como nós. A freqüência de suas consciências se torna Iluminada na plenitude da evolução de sua alma como um grupo. Isso não significa que os animais não sejam capazes de atos de amor individuais. Que dizer do animal que sacrifica voluntariamente sua vida por um ser humano? Esse é um sacrificio de amor tão legítimo quanto o é para um ser humano, porque, neste caso, o animal sabe que está liberando voluntariamente sua vida. Isso, para um animal, é um avanço rumo à experiência humana ou a um nível mais elevado que o seu.

A natureza de uma alma grupal pode ser vista através de suas manifestações. A natureza da alma golfinho, por exemplo, se expressa através dos golfinhos. O mesmo vale para a nossa espécie: a natureza da alma da humanidade pode ser vista através da natureza dos seres humanos.

A alma golfinho está deixando a Terra, ou seja, a espécie golfinho está em processo de extinção. Os golfinho estão se lançando nas praias, estão criando doenças em si mesmos. Essa é a sua maneira de recusar-se a continuar vivendo na Terra. Eles sentem que não podem cumprir o propósito para o qual nasceram. Por isso, estão indo embora. Sua morte não é suicídio, porque eles não estão amedrontados, estão exaustos.

O alma golfinho se manifesta – os golfinhos nascem – para trazer amor, vida e criatividade aos oceanos. Os golfinhos se manifestam para formar uma ponte de alegria, amor e inteligência entre o reino aquático e o reino humano. E eles não conseguem fazer isso – nossa espécie trata a alma golfinho com brutalidade.

O espírito golfinho – como ele sofre! Este é um tempo de grande aflição; é um tempo que impõe um exame sério e profundo dos valores e comportamentos que resultam da percepção do poder como coisa externa; é um tempo em que devemos chorar com a alma golfinho, oferecer-lhe alívio.

Se você deseja oferecer alívio à alma golfinho, imagine, a partir do âmago da consciência golfinho, que suas energias estão mergulhando em águas profundas, cálidas, claras e tranqüilas. À medida que se sente submergindo no reino aquático, deixe que seu ser comece a irradiar seus pensamentos para essas criaturas que compartilham nosso lar planetário. Imagine que lhes está enviando amor enquanto eles continuam sua evolução e deixam a escola terrestre, que você chora com eles mas sabe que, como você, eles são imortais. Irradie esses pensamentos.

Faça-os saberem que não estão partindo sem a compreensão dos seres humanos. Faça com que o ouçam dizer: "Eu sou um que compreende."

Você é capaz disso?

Isso dará um sentido à dolorosa jornada dos golfinhos.

Há mais de um processo pelo qual as almas individuais são formadas. Parte da cadeia de evolução em nossa aldeia global é esse processo de avanço de reino para reino para reino, mas se uma alma que não esteve antes em nosso planeta escolhesse a experiência humana, não lhe seria necessário avançar através da evolução de reino para reino. Ela encontraria efetivamente, no ambiente físico, a situação mais apropriada para ela.

Existem almas que nunca tiveram a experiência humana. Quando falamos de almas entrando na arena física para curar, para equilibrar sua energia, para pagar suas dívidas cármicas, estamos falando da evolução da Vida tal como a conhecemos em nossa Terra. Não estamos falando de outras galáxias, ou da Vida em outros níveis que não são físicos da forma como nós conhecemos. A experiência da realidade física nem sempre é necessária para certos progressos. Se o for, será incentivada.

Chega um ponto em que a experiência da realidade física deixa de favorecer a consciência da alma e, por conseguinte, a alma escolhe a aprendizagem no reino não-físico. Ela pode optar por aprender, por exemplo, através da tarefa de tornar-se um guia não-físico. Cada alma humana individual é um micro do macro que é a alma da espécie humana, mas a alma da humanidade não é um micro de um macro. Em outras palavras, não existe uma alma humana espiritual mais vasta para além da alma da humanidade. Para além dela, há a experiência do mestre, a experiência de ingressar em níveis adiantados de Luz que já não é específica do ser humano.

Nossos Mestres não-físicos pertencem a esses níveis de Luz. Assim, não é apropriado considerá-los da perspectiva da dinâmica pessoal: é mais adequado encará-los como consciências impessoais, pois é isso o que eles são, pertencentes a reinos que não se podem compreender em termos humanos. Eles não têm, por exemplo, os aspectos da personalidade fragmentada que nós temos; não têm partes sombrias, por assim dizer. Um Anjo tem uma alma? Um Anjo é sua própria alma, sua alma integral.

Essa é a diferença entre o que é íntegro e está em união e o que está evoluindo para isso. A dualidade só existe em certos níveis, não em outros. A dualidade é uma dinâmica de aprendizagem. Ela é o seu próprio ritmo e tensão e não existe para além de um outro nível de aprendizagem e desenvolvimento. Você existe na dualidade, mas não é isso que ocorre com seus Mestres não-físicos.

Esse não é o lar deles, por assim dizer. Para o nosso plano, eles são mestres; são livres para ensinar em nosso plano, sem serem do nosso plano. Nosso Mestre não-físico não passa a pertencer ao nosso plano quando nos aconselha, do mesmo modo que um pai não se torna uma criança a fim de ensinar ao seu filho – isso não é necessário. Esse nível de evolução é assumido na presença do pai. Esta é, simplesmente, a dinâmica natural da evolução.

Estamos destinados a evoluir para além da natureza da dualidade. Dualidade é aquilo que é compreendido no tempo e no espaço. Quando evoluirmos para além disso, e também quando deixarmos nosso corpo físico e retornarmos ao nosso plano de realidade não-físico, não existiremos na dualidade e o senso do eu irado, aflito ou receoso, que nos parece estar presente agora, se dissipará. Ele não tem nenhum poder no reino que está além da dualidade, onde existe a perfeição de tudo o que é. Quando deixarmos nossa forma física, passaremos ao nível não-físico de realidade apropriado à nossa freqüência vibratória no momento em que deixarmos nossa encarnação.

Para onde vão as almas humanas adiantadas?

Existem muitas formas de Vida que constituem avanços desta. Existem, literalmente, milhões de opções. Existe vida em numerosas galáxias. Na verdade, existem milhões, bilhões de outros planetas repletos de vida. Não existe um só planeta desprovido de certo nível de consciência ativa, parte da qual se assemelha à nossa forma humana, enquanto outra parte permanece distante de nossa forma, mas continua sendo consciência no sentido em que entendemos esse termo.

Existe um reino que a linguagem religiosa do Ocidente chamaria de reino angélico. É um reino de seres de numerosas freqüências e qualidades de consciência, muitos dos quais nos guiam e interagem conosco na Terra. Esse reino está em equilíbrio com outras forças, mas não pode ser compreendido em termos humanos. A evolução continua nesse reino, embora haja aquela percepção que as nossas palavras "harmonia" e "perfeição" poderiam traduzir. Pode-se pensar num Anjo como numa força de consciência que evoluiu para uma modalidade de ensinamento apropriada para a aldeia planetária chamada Terra, mas que também pode ter sido parte da evolução de outras galáxias e das formas de Vida que lá existem.

O lar de um Anjo, por assim dizer, é esse reino, o reino angélico, a cadeia de formas de Vida não-físicas que existem dentro, abaixo e além dessa esfera vibratória. Os Anjos continuam a evoluir, assim como outros membros desse reino, como aquelas consciências que reconheceríamos como mestres, entre os quais estão aqueles que deram nome às religiões em nossa Terra. Essa evolução continua, mas o que existe é antes a perfeição do que a experiência de fundir a consciência com a matéria, que ocorre em nossa escola terrestre.

A lei do carma se aplica aos seres não-físicos?

A lei do carma é universal no sentido de que não existe uma forma de Vida que não seja responsável por sua energia, mas não se pode entender o carma em termos de dimensões não-físicas da mesma maneira como o entendemos. Um Anjo não tem as barreiras que nós temos. Um Anjo vê coisas, por exemplo, que nós não vemos. A diferença é uma barreira. Um Anjo não tem as nossas barreiras e, por isso, não pode criar o carma que nós criamos. Ele tem um nível de visão e conhecimento que impede que certas ações aconteçam simplesmente em virtude da profundidade cognitiva própria de sua posição na hierarquia da criação.

A grande lei do carma opera porque um Anjo ainda tem vontade, mas um Anjo está muito acima da limitação que caracteriza a experiência humana. Um Anjo não tem medo da morte. Ele não tem nenhum atributo físico. Ele é apenas o que é imortal. Ele existe com tudo o que existe. Ele não tem nenhuma dúvida. Ele vê e vive na Luz e, por essa razão, os ingredientes que criam carma para a experiência humana não fazem parte da sua realidade pessoal. Embora um Anjo tenha vontade, não podem ser descritas circunstâncias em que essa vontade poderia enveredar por um caminho errado, se houvesse tal coisa, ou por um caminho negativo. Em certo sentido, pode-se considerar que um Anjo evoluiu para além da necessidade de ser testado; para ele, portanto, não existe carma.

Existem também outros níveis, como o nível em que os espíritos desencarnados estão limitados aos seus atributos físicos no ambiente imediato da arena terrestre. Esses espíritos não prosseguem em sua jornada de volta ao seu eu superior, mas permanecem ligados ao seu estado individual não-físico próximo da Terra.

Imagine que sua personalidade, suas características e parte de seu eu não-físico desejem permanecer intactos e não prossigam em sua evolução. O processo pelo qual a alma se desfaz dos aspectos da personalidade não ocorre. Há uma combustão e uma congestão no sistema de energia. Isso acontece, geralmente, quando uma alma não consegue aceitar a necessidade de avançar e libertar-se de uma encarnação particular. Em alguns casos, a alma se apega a uma personalidade porque essa personalidade foi particularmente bem-sucedida ou poderosa durante sua vida.

A congestão no processo de evolução produz os fenômenos que chamamos de maus espíritos, fantasmas ou possessões. Esses espíritos preferem permanecer ligados à Terra, dentro do campo áurico da Terra. São maus? São negativos, sim, mas quanto a serem maus, é uma outra questão. Estimulam a negatividade? Sim, mas isso faz parte da lei da atração; sua própria energia é atraída para forças de energia semelhantes ou forças de fraqueza semelhantes. Nesse reino, tais espíritos podem criar carma negativo adicional por prosseguirem na malevolência.

Assim sendo, é possível falar em evoluir para além do carma, como ocorre com os Budas. Eles se referem ao carma da Terra, onde sempre existe a circunstância de escolher entre as formas como queremos aprender, que caminho iremos seguir. Os Budas se referem à Terra, à experiência humana e ao modo como esta se estabelece, que é com o livre-arbítrio, a escolha, situada entre a fé e a dúvida, o bem e o mal, entre as escolhas e os dualismos criados por nossa espécie. É a esse carma que eles se referem, e não aos padrões cármicos que deixam de existir quando você, como alma, já não precisa aprender no mundo da dualidade. Embora tenham o atributo da vontade, os Anjos não acumulam carma tal como o entendemos; ele não faz parte de sua dimensão. Mas eles têm o atributo da vontade. A lei do carma, tal como a entendemos, é a lei do carma para a matéria e o espírito físicos, mas não para o espírito.

Há muitos reinos não-físicos que não são angélicos. Além do reino dos seres humanos desencarnados que estão ligados à Terra, por exemplo, existe a comunidade dévica dos nossos reinos da Natureza. Existem muitos, inúmeros reinos de vida não-física. Para além do reino angélico existem reinos e mais reinos de inteligência nos quais pensamos em termos de Deus.

Na espécie humana existem diferentes graus de consciência da alma. Nem todos os seres humanos estão igualmente cônscios de sua alma. Assim, será que todos os seres humanos têm idêntico potencial?

Sim e não. Essa questão é complexa. Não pode ser respondida facilmente, porque entre as almas que estão na mesma faixa de freqüência, como as que se encontram na escola terrestre, existe uma qualidade comum de consciência, mas há uma diferença entre as suas cadeias de consciência. Um indivíduo que não expandiu sua percepção não é igual, no sentido em que costumamos empregar esse termo, ao indivíduo de maior percepção. Há uma desigualdade; mas não é uma desigualdade que permanece desigual, é apenas um nível temporário do impulso no fluxo da evolução.

A alma não tem começo nem fim e, no entanto, algumas almas são mais velhas do que outras. Ambas as afirmações são verdadeiras. Todas as almas procedem diretamente da Divindade e, no entanto, não há um só caso em que as almas sejam formadas individualmente. Ambas as afirmações são verdadeiras. A compreensão do que é a alma só se torna paradoxal quando se aplica um tipo de pensamento que encerra a noção de começo.

Tudo o que existe pode tomar a forma de gotículas de consciência. Por ser parte de tudo o que existe, você, literalmente, sempre existiu, mas houve um instante em que essa corrente de energia individual que é você foi formada. Considere Deus como sendo o oceano. Ele sempre existiu. Agora pegue uma xícara cheia de água. Nesse instante, a xícara se torna individual, mas ela sempre existiu, não é mesmo? O mesmo sucede com sua alma. Houve um instante em que você se tornou uma xícara de energia, mas de um Ser original que é imortal.

Você sempre existiu, porque aquilo que você é, é Deus, a Inteligência Divina, mas Deus assume formas individuais, gotículas, reduzindo seu poder a pequenas partículas de consciência individual. É uma redução maciça do poder, embora o poder seja tão completo nessa gotícula quanto no todo. Ela é igualmente imortal, criativa e expressiva, mas em sua forma mais minúscula sua energia é reduzida de um modo apropriado à sua forma. À medida que aumenta o seu poder, a sua individualidade e a sua consciência do eu, essa pequena forma se torna maior e mais semelhante a Deus. E então se torna Deus.

Esse processo se assemelha ao processo da nossa personalidade – que é o da nossa alma – expandindo-se no sentido do eu superior e alcançando assim o poder integral da nossa alma encarnada. Assemelha-se também ao processo da nossa personalidade e do nosso eu superior reingressando na plenitude da nossa alma quando deixamos a Terra. Como alma individual, permanecemos uma alma individual. Somos ao mesmo tempo individuais e unos com tudo o que é.

A unidade individual da evolução é a alma. Essa percepção é nova porque, como espécie, não temos estado cônscios da existência da alma. Em nossos pensamentos religiosos, reconhecemos o que chamamos de alma, mas até agora não a levamos suficientemente a sério para considerar o que sua existência significa em termos da experiência cotidiana, em termos das alegrias, dores, tristezas e satisfações que constituem uma vida humana.

Não voltamos nossa atenção para as necessidades da alma. Não consideramos o que é requerido pela alma para ser sadia. Não estudamos a alma, ou não a ajudamos a alcançar o que é necessário para a sua evolução e saúde. Como temos sido pentassensoriais, temo-nos concentrado no corpo e na personalidade. Desenvolvemos um extenso conhecimento acerca do aparato físico em que a alma se converte ao encarnar. Conhecemos os aminoácidos, os neurotransmissores, os cromossomos e as enzimas, mas não conhecemos a alma. Não sabemos como essas funções físicas servem à alma ou são por ela afetadas.

Tentamos curar as disfunções do corpo controlando-lhe o ambiente no nível molecular. Em outras palavras, nossa abordagem da cura baseia-se na percepção do poder como algo externo. Esse tipo de cura pode ser valiosa para o corpo, mas não cura, não pode curar no nível da alma.

Considere que as pessoas treinadas dessa maneira estão acostumadas a aprender sobre a Vida através do estudo da matéria inanimada. Tentam aprender a respeito da Vida através do estudo de carcaças e cadáveres. Como podem ver o espírito pelo estudo daquilo que não tem espírito? Ainda que investiguem esta vasta galáxia, são incapazes de ver a Vida porque estão convencidas de que a galáxia inteira não tem Vida, salvo quando a vêem e a identificam, e assim as formas de Vida e os irmãos e irmãs que temos nas outras galáxias permanecem ocultos, e ocultos permanecerão enquanto a premissa básica de que a Vida é e permeia tudo quanto existe, de que só existe uma Vida não se tornar o princípio do que chamamos de ciência. Então exploremos a física da alma. Então, estudaremos a Vida com Vida, e não a matéria inanimada, sem tentar insuflar-lhe inteligência e propósito examinando à parte, em nossos laboratórios, formas humanas e formas animais. Um dia isso será visto como um tipo de aprendizado primitivo, porque é desprovido de consciência.

O corpo é o instrumento da alma. Se o pianista está doente, de que vale consertar o seu piano? O que um instrumento produz depende não só do estado do instrumento, mas também do músico. Se o músico toca *blues*, ou se eleva de alegria, o instrumento o acompanha. Mesmo um instrumento afinado e polido é incapaz de elevar-se de alegria se o músico escolhe a tristeza ou o pesar. No caso da nossa alma e do nosso corpo, o instrumento torna-se o *blues*, ou se eleva de alegria. Se o músico se deixa consumir pelo pesar, pela cólera ou pela tristeza, o instrumento se desintegra. Em alguns casos, um instrumento avariado pode ser consertado, mas um conserto nesse nível é incapaz de curar aquilo que causou a avaria.

Depois de vários anos de casamento com um parceiro intratável, uma conhecida minha começou a sentir-se sufocada nesse relacionamento, incapaz de expressar sua criatividade e seus sentimentos mais profundos. Numa manhã de inverno, o jipe de seu marido, que estava estacionado na garagem íngreme de sua casa, perdeu o freio e passou por cima dela, esmagando-lhe a região pélvica. Cirurgia e produtos químicos curaram-lhe os quadris e aliviaram-lhe as dores, mas será que a cirurgia pode remediar o dano causado quando a criatividade de uma mulher – representada, nesse caso, por sua região pélvica, sua capacidade reprodutiva, o símbolo físico de sua criatividade feminina – é esmagada pelo machismo desenfreado do marido – representado, nesse caso, por um jipe descontrolado? Será que os produtos químicos podem aliviar a dor de uma alma sofredora?

É possível que uma pessoa desenvolva uma doença cardíaca enquanto outra desenvolve câncer? Embora os estados doentios tenham uma correlação com fatores tais como dieta, exercício, estilo de vida e hereditariedade, tal correlação não pode dissimular o fato de que a vida, para algumas pessoas, é um sofrimento de partir o coração, enquanto outras se deixam consumir, devorar pela vida, pelas experiências negativas de suas vidas. Será que a cirurgia ou a quimioterapia podem curar isso?

Não terão um sentido as numerosas maneiras como as disfunções físicas ocorrem? Para algumas pessoas, a saúde é um problema do coração, para outras, um problema do que podem digerir ou eliminar no decorrer de suas vidas, para outras, um problema da cabeça e para outras, um problema de serem capazes de ouvir, ver ou passar pela vida com flexibilidade, ou de lidar com suas próprias experiências ou, literalmente, de manobrá-las. Estes são os problemas que devem ser tratados direta, aberta e sinceramente para se poder produzir saúde.

Isso não significa que não se deva cuidar do corpo ou procurar um médico quando se está doente. Embora o físico não seja tão real, por assim dizer, quanto o não-físico, ele é, não obstante, a projeção mais baixa, mais densa da matéria espiritual e, portanto, deve ser reverenciado. Ele deve ser reverenciado. O corpo precisa de descanso e de cuidados, mas por trás de cada aspecto da saúde ou da doença do corpo está a energia da alma.

É a saúde da alma que constitui o verdadeiro propósito da experiência humana.

Tudo serve a esse propósito.

Poder

13

Psicologia

Psicologia significa conhecimento da alma. Significa o estudo do espírito, embora nunca tenha sido isso. Psicologia é o estudo das cognições, percepções e afetos; é o estudo da personalidade.

Por estar baseada nas percepções da personalidade pentassensorial, a psicologia não é capaz de reconhecer a alma. Não é capaz de compreender as dinâmicas que estão por baixo dos valores e comportamentos da personalidade. Assim como a medicina tenta curar o corpo sem reconhecer a energia da alma que está por trás da saúde ou da doença do corpo e, por conseguinte, não pode curar a alma, a psicologia tenta curar a personalidade sem reconhecer a força da alma que está por trás da configuração e das experiências da personalidade e, por conseguinte, também não pode curar no nível da alma.

Para desenvolver e adestrar a sua mente e o seu corpo, você precisa compreender que tem uma mente e um corpo. Para curar diretamente no nível da alma você precisa compreender, em primeiro lugar, que *tem* uma alma. Se você tem uma alma, será ela um vazio que, mitologicamente, preenche a estrutura de suas costelas? Não. Então, se sua alma é real e viva, dotada de força e existência, qual é o seu propósito?

Para se desenvolver uma mente sadia e disciplinada, um intelecto capaz de expandir-se plenamente em qualquer tarefa, é necessário algo mais do que meramente reconhecer a existência da mente. É necessário compreender como a mente funciona, o que ela deseja, o que a fortalece e a enfraquece e, sem seguida, aplicar esse conhecimento. Da mesma forma, não é possível ajudar conscientemente a alma em sua evolução pelo simples reconhecimento da alma. É necessário compreender o temperamento da alma, saber o que a alma pode tolerar e o que ela não pode tolerar, o que contribui para a sua saúde e o que lhe destrói a saúde. Tudo isso deve ser investigado.

Os meios para isso ainda não foram desenvolvidos. Ainda não criamos uma compreensão disciplinada e sistemática da alma. Não compreendemos como os nossos comportamentos e atividades afetam a alma. Quando vemos a personalidade em disfunção, não pensamos sobre o que essa disfunção revela acerca da alma. No entanto, a personalidade é constituída por aspectos específicos da alma reduzidos a uma forma física. Assim, as disfunções da personalidade não podem ser compreendidas sem uma compreensão da alma.

Os medos, iras e ciúmes que deformam a personalidade não podem ser compreendidos sem uma compreensão das cicunstâncias cármicas a que eles servem. Quando você compreende, e compreende verdadeiramente, que as experiências de sua vida são necessárias para o equilíbrio da energia de sua alma, você é livre para não reagir a elas pessoalmente, para não criar mais carma negativo para a sua alma.

Por si só, a dor é apenas dor, mas a experiência da dor que se alia à compreensão de que a dor serve a um propósito digno é sofrimento. O sofrimento é significativo. O sofrimento pode ser suportado porque existe uma razão para ele que é digna de esforço. O que é mais digno de sua dor do que a evolução de sua alma?

Não quer isto dizer que você se torna um mártir. Quando compreende que ao servir conscientemente à evolução de sua alma você está contribuindo ao máximo para o seu mundo, você se torna uma pessoa que contribui conscientemente para o bem-estar e o desenvolvimento espiritual daqueles que partilham com você a experiência da aprendizagem humana. Se você for impiedoso consigo mesmo, será impiedoso com os outros, e se for negligente consigo será negligente com os outros. Só sentindo compaixão por si mesmo você pode sentir compaixão pelos outros.

Se não for capaz de amar a si mesmo, você não poderá amar aos outros e não tolerará ver os outros sendo amados. Se não for capaz de tratar a si mesmo com bondade, você se ressentirá com esse tratamento quando o observar nos outros. Se não for capaz de amar a si mesmo, amar aos outros se tornará uma obrigação penosa, e você terá apenas momentos ocasionais de alívio. Em outras palavras, amar aos outros, ou a maneira como você trata a si mesmo, é a dose de seu próprio remédio que você realmente pode dar aos outros ao mesmo tempo.

Os indivíduos que vivem o que pode ser considerado uma atitude de mártir vêem a si mesmos como dando aos outros tudo o que têm. Vêem nisso uma forma de amor, mas na verdade o amor que eles dão está contaminado pela autopiedade. Um sentimento de culpa e impotência turva a energia de seus corações e, assim, sua afeição aos outros não é sentida como efetivamente boa. Ela parece estar impregnada de necessidade, mas, como esta nunca é clara, o amor dessas pessoas é sentido como algo pegajoso.

Quando você é capaz de ser bom para si mesmo, sabe o que é ser capaz de amar a si próprio. Então, pode olhar para aqueles que necessitam desesperadamente de bondade e amor e sentir-se bem quando os vê obter essas coisas, não com espírito de condescendência, mas sentindo-se verdadeiramente bem. Assim é a energia da alma. Assim é a percepção da alma. Quando não há compaixão, quando há culpa, remorso, ira ou tristeza, há a oportunidade para curar a alma. Qual a relação dessas experiências com uma alma sadia e uma alma não-sadia? O que é uma alma sadia?

Para responder a essas perguntas, precisamos de uma psicologia espiritual, uma nova disciplina do espírito, que seja realmente do espírito, que tenha como foco a alma do ser humano. A evolução humana, e a evolução do espírito na matéria, é uma evolução muito específica. Não é uma evolução fortuita – é uma evolução não-caótica, específica. Quando certos processos de maturação, necessários para a união da matéria e do espírito, não são respeitados, o espírito entra em colapso. Os psicólogos têm tentado explicar esses colapsos nos termos da psicologia. Podemos continuar a empregar essa linguagem, mas façamos com que a psicologia se expanda, de modo a incluir a linguagem do espírito. Esta se tornará, finalmente, a sua primeira língua, por assim dizer, e todas as psicoses e colapsos psicóticos serão, por fim, integrados em sua própria linguagem, que é a do espírito fragmentado.

A reencarnação e o papel do carma no desenvolvimento da alma serão partes fundamentais da psicologia espiritual. As características de cada personalidade, as qualidades que tornam uma personalidade diferente da outra não podem ser investigadas sem uma compreensão do carma que cria essas características. Nem sempre é possível compreendê-las em termos da história da personalidade, porque elas podem refletir experiências que antecedem em séculos a personalidade. O que está em jogo, portanto, não são os efeitos da cólera, do ciúme, da amargura, da tristeza etc. sobre a personalidade, mas sobre a alma.

A compreensão de cada personalidade, de cada vida de uma alma não é necessária. As muitas e muitas vidas de uma alma não têm a mesma importância para o desenvolvimento de cada uma de suas personalidades; mas, sem uma percepção das experiências daquelas vidas que se referem diretamente às lutas da nossa personalidade, não poderemos compreender a extensão daquilo que está sendo curado através de nossas experiências ou procurando chegar a um termo. Se nossa alma foi a de um centurião romano, de um mendigo indiano, de uma mãe mexicana, de um menino nômade, de uma freira medieval, entre outras encarnações, por exemplo, e se os padrões cármicos acionados nessas vidas estão em movimento dentro de nós, não poderemos compreender nossas tendências, interesses ou modos de reagir a diferentes situações sem uma percepção das experiências dessas vidas.

Pode ser que a freira medieval da nossa alma tenha desenvolvido a capacidade de ver um Anjo. Que extraordinária realização espiritual! Nossa Mestra não-física virá até nós com essas mesmas freqüências de Luz. Ela nos oferecerá os frutos de uma vida de contemplação, luta, dor e coragem. O centurião romano de nossa alma não está morto há milênios. Essa energia pode penetrar, literalmente, em nosso corpo e querer empunhar uma arma moderna por curiosidade.

Certos tipos de pessoas lhe desagradam? Você se sentiu atraído pela medicina na infância? Sente-se amedrontado em certos lugares? Reações como essas nem sempre são explicáveis em termos das experiências de sua vida. O poder curativo que está no âmago da psicologia é o poder da consciência. Investigar, arrostar com coragem e trazer para a Luz da consciência aquilo que é inconsciência e que está, portanto, numa posição de poder sobre a personalidade, eis o que cura. Quando a existência daquilo que precisa emergir na consciência não é reconhecida – como, por exemplo, as experiências de vidas vividas em outros lugares e em outros tempos – não se pode curá-lo dessa maneira.

Você abandonou um parceiro ou uma esposa? Uma esposa ou um parceiro o abandonou? Pode ser que suas almas tenham concordado, com misericórdia e compaixão, em representar nesta vida uma situação pela qual passaram juntas numa vida anterior, ou em vidas anteriores, situação que ainda encerra poder curativo para ambas. Pode ser que suas almas tenham concordado em criar um equilíbrio de energia mútuo para que uma sofra a mesma perda dolorosa que infligiu à outra. Experiências como essas não se destinam a produzir uma dor sem sentido. Não existe um só ato no Universo que não seja compassivo.

Seus pais são as almas das quais você está mais próximo na sua vida, as almas que exercem sobre o seu ser as influências mais significativas. Isso ocorre mesmo que não lhe pareça assim, mesmo que, por exemplo, você se tenha separado de seus pais, ou de um deles, ao nascer. Sua alma e as almas de seus pais concordaram em relacionar-se para equilibrar a energia que cada uma precisa equilibrar ou para ativar, no interior de cada uma, dinâmicas que são essenciais para as lições que cada qual deve aprender. Sem uma percepção de suas interações cármicas, não lhe é possível compreender a profundidade do potencial despertar que pode resultar de suas interações com um pai ou irmão.

A exploração e compreensão da intuição há de ser uma parte básica da psicologia espiritual. A intuição é a voz do mundo não-físico. É o sistema de comunicação que liberta a personalidade pentassensorial das limitações do sistema pentassensorial, que permite à personalidade multissensorial ser multissensorial. É a conexão da personalidade e de seu eu superior com seus guias e Mestres.

A psicologia nem sequer reconhece a intuição, salvo a título de curiosidade. Assim, ela não admite o conhecimento obtido por via da intuição e, por conseguinte, esse conhecimento não é processado pelo intelecto. A personalidade pentassensorial só processa o conhecimento que ela acumula e comprova através dos cinco sentidos. A personalidade multissensorial adquire conhecimento através de suas intuições e, ao processar esse conhecimento, sintoniza-se progressivamente com sua alma. O caminho consciente para o poder autêntico requer o reconhecimento das dimensões não-físicas do ser humano, da alma, e um conhecimento crescente do que a alma é e do que ela quer.

A espiritualidade haverá de estar no âmago da psicologia espiritual. A psicologia espiritual orientar-se-á para a espiritualidade, e as crises espirituais serão consideradas sofrimentos legítimos. A psicologia espiritual investigará e compreenderá as relações funcionais entre carma, reencarnação, intuição e espiritualidade.

A espiritualidade está relacionada com o próprio processo imortal. Você tem sua intuição, por exemplo, porém sua espiritualidade não se limita à sua personalidade e ao sistema intuitivo desta. Sua espiritualidade abrange a inteira jornada de sua alma, enquanto sua intuição é o modo como sua alma pode entrar em contato com sua existência para ajudá-la nas situações de sobrevivência. É o modo como, através de seu eu superior, você pode pedir e receber assistência de outras almas e de seus Mestres e guias. Sua espiritualidade pertence ao que é imortal em você, ao passo que, quando você deixar o corpo, o sistema intuitivo desenvolvido para esse corpo será deixado para trás, por não ser mais necessário.

A psicologia espiritual é o estudo disciplinado e sistemático daquilo que é necessário para a saúde da alma. Ela identificará os comportamentos que operam em oposição à harmonia e à totalidade, em oposição à energia da alma. Considerará os elementos abrangentes da negatividade e as formas de negatividade existentes, bem como seus efeitos sobre a alma.

Tudo o que aumenta a separação no íntimo de uma pessoa fragmenta a alma ou, de certa forma, diminui-lhe a força, não devendo ser confundido com sua imortalidade. A alma, quando se reduz para adaptar-se a uma encarnação física, traz em si sua natureza holística. Um padrão espiritual genético de holismo, por assim dizer, está presente ali e, quando a personalidade opera fora do padrão genético do holismo, o resultado é uma disfunção.

A psicologia espiritual há de trazer à luz as situações suscetíveis de fragmentar o espírito. A brutalidade, por exemplo, fragmenta o espírito humano. A alma não pode tolerar a brutalidade. Não pode tolerar a profusão de dor e irracionalidade. Não pode tolerar a mentira. Considere *isso* em nosso planeta. Ela não pode tolerar a falta de perdão. Não pode tolerar os ciúmes e os ódios. Para ela, essas coisas são contaminadores, venenos.

Quando a personalidade se envolve nesses comportamentos, é como se alimentasse continuamente seu corpo com arsênico. É exatamente assim. Tais comportamentos, do mesmo modo, distorcem, contaminam e destroem a força da alma. É essa distorção da alma que é assumida pela contraparte física reduzida da alma, chamada personalidade, para ser purificada, para ser vista por outras almas, de modo a que possa ser ajudada.

A compreensão dessa dinâmica está no âmago da psicologia espiritual. Ela é a base em que está edificada a psicologia espiritual, de modo que, quando a dor for vista, não suscite reações de julgamento, repulsa ou esquiva, mas seja reconhecida como a alma fragmentada. Desse modo, diremos, nessa circunstância: tratemos de curá-lo; tratemos de curá-la. Não fujamos ao aspecto desagradável de uma alma fragmentada.

A personalidade da alma fragmentada é inconsciente. Há uma contínua interação entre nossa personalidade e nossa alma. A questão é se estamos cônscios dela ou não. Se não estamos, ela não é direta. É indireta por ter de mover suas correntes através da densidade da dúvida, da densidade da inconsciência. Se estamos cônscios da orientação dada por nosso eu superior e lhe somos receptivos, essa receptividade permite que a orientação flua instantaneamente. Se não estamos cônscios e negamos que exista qualquer nível de sabedoria e orientação superior para a nossa vida, a orientação tem que vir para nós através da densidade dos eventos físicos.

A percepção penetra numa personalidade inconsciente, de início, através da crise. Quando a personalidade não está ligada à clara energia da alma – ou está separada dela – vê-se seduzida pela materialidade física da vida. Isso sempre ocorre numa crise da personalidade, porque a necessária força e orientação destinadas a infundir-se na personalidade foram interceptadas. A personalidade que não está cônscia das suas fontes superiores de sabedoria, ou lhes nega a existência, é incapaz de servir-se de sua intuição ou de qualquer dos mecanismos de orientação da nossa espécie. O resultado disso é a crise.

Estará a crise destinada a ser fundamental ao nosso crescimento? Não. Esse padrão evoluiu através das escolhas feitas por nossa espécie. O curso da nossa evolução não devia incluir o padrão da crise. Não devia incluir as experiências da dor e do trauma, da violência e da brutalidade física ou emocional, para o crescimento. A ordem divina determinava que nossa espécie avançaria para a totalidade em certo ponto de sua evolução. O modo como ela avançou e aprendeu no curso de sua evolução foi determinado pelas escolhas que fez no tocante ao modo de manobrar a energia na escola terrestre. A dúvida foi criada e escolhida como mestre principal pela própria escolha humana. Nossa espécie escolheu esse modo de aprendizagem e, por conseguinte, pôs em ação padrões cármicos, padrões cármicos geracionais.

À medida que nossa espécie foi evoluindo, à medida que foi experimentando seu espectro de medos, seu espectro de desejos, seu espectro de apegos ao físico, certas escolhas, coletiva e individualmente, começaram a caracterizar e a formar o caminho que nos seria mais familiar. O despertar para a necessidade de entrar em contato com alguma coisa mais, de entrar em contato com nosso próprio sistema de energia espiritual é agora um caminho batido que inclui a experiência de tornar-se fisicamente impotente em relação à estrutura da escola terrestre antes que a alma alcance o genuíno poder.

Em outras palavras, o despertar da personalidade para o potencial da alma veio a requerer a perda de um companheiro, ou a morte de um filho, ou a falência de um negócio, ou alguma situação causadora de impotência individual. Requer o malogro do poder externo. Isso, para a personalidade pentassensorial, é crise.

A psicologia espiritual encara essa situação concentrando-se diretamente na questão do poder autêntico. Ela é oportuna porque surge num momento em que a nossa espécie está evoluindo para além da personalidade pentassensorial, para além da aprendizagem através da exploração pentassensorial do mundo físico, que constitui o poder externo, e no sentido das experiências da personalidade multissensorial, das experiências do mundo não-físico e da jornada consciente rumo ao poder autêntico através da escolha responsável, com a assistência dos guias e Mestres não-físicos.

A personalidade, incluindo a personalidade pentassensorial, não é nem positiva nem negativa. É um instrumento da alma, uma parte natural da encarnação. O desenvolvimento dos cinco sentidos constituiu uma celebração na qual o intelecto se expandiu e foi concedida à nossa espécie a opção de aprender através da matéria física. A busca do poder externo foi gerada pela insegurança, não em função das limitações da personalidade pentassensorial, mas em função das escolhas, feitas por nossa espécie, de aprender através do medo e da dúvida, em vez de aprender através da sabedoria.

Nossa espécie está tendo novamente a oportunidade de escolher a maneira como irá aprender, a maneira como irá evoluir. Está na hora de escolhermos novamente, como espécie e como indivíduos. Temos a oportunidade de escolher, como indivíduos e como espécie, de maneira diferente, de outra maneira, de escolher, desta vez, aprender a amar através da sabedoria, tomar o caminho vertical da clareza, do crescimento consciente e da vida consciente.

Estamos chegando ao fim de uma fase da evolução que foi escrita muito tempo antes de existirmos. Quando a aprendizagem e a evolução da nossa espécie foram projetadas, elas o foram para complementar ciclos, grandes ciclos que operam no interior do Universo, no interior da nossa galáxia e de outras mais. Esses ciclos se deslocam dentro da forma física a determinadas velocidades, servindo a certos propósitos e equilíbrios de energia.

O ciclo que estamos terminando – e, portanto, começando – é o de um momento em que três ciclos se concluem e recomeçam. Esses ciclos atuam um dentro do outro. Assim como a Lua gira em torno da Terra e esta em torno do Sol, assim como existem órbitas dentro de órbitas, também existem ciclos dentro de ciclos. Em termos astrológicos, estamos chegando ao encerramento de um grande ciclo, um ciclo de dois mil anos, e de um ciclo ainda maior, no qual um ciclo de vinte e cinco mil anos está a encadear-se com a conclusão de um ciclo de cento e vinte e cinco mil anos. Eis por que, neste momento da nossa evolução, essas coisas estão acontecendo agora. É agora que devem acontecer.

A negatividade do último ciclo de dois mil anos está sendo reunida agora para que possa ser descarregada e transformada, para que os próximos ciclos – o de dois mil anos, que principia juntamente com o de vinte e cinco mil anos, e o de cento e vinte e cinco mil anos – possam começar, os três simultaneamente, devidamente renovados.

Esse é o significado da atual situação e momento na nossa Terra: o nascimento de oportunidades muito diferentes, oportunidades de liberar padrões que deixaram de ser necessários. Quanto mais Luz houver, literalmente, quanto mais iluminado você for, mais escolherá caminhos diferentes.

A psicologia espiritual favorecerá a escolha de aprender através da sabedoria, a escolha de liberar padrões de negatividade, de dúvida e de medo que deixaram de ser apropriados ao que somos e ao que nos estamos tornando. Ela esclarecerá a relação entre a personalidade e a alma, as diferenças entre elas e o modo de reconhecer tais diferenças. Tornará explícitos os efeitos das interações entre personalidades do ponto de vista das dinâmicas de energia impessoal que elas põem em movimento e mostrará o modo como essas dinâmicas podem ser usadas com o objetivo de curar.

14

Ilusão

Cada interação com cada indivíduo é parte de uma dinâmica de aprendizagem contínua. Quando interagimos com outrem, uma ilusão faz parte dessa dinâmica. Essa ilusão permite que cada alma perceba o que precisa compreender para curar-se. Ela cria, como num espetáculo de quadros vivos, as situações necessárias para a integração dos aspectos que requerem cura em cada alma.

A ilusão é um veículo de aprendizagem. Ela pertence à personalidade. Você deixará a ilusão para trás quando morrer, quando voltar para casa. Todavia, a personalidade que vive no amor e na Luz, que vê através dos olhos da alma, metaforicamente falando, pode ver a ilusão e ao mesmo tempo não ser arrastada por ela. Assim é a personalidade investida do poder autêntico.

A ilusão está intimamente ligada às necessidades de cada alma. Cada situação sempre serve a cada pessoa envolvida. Não podemos encontrar, e não encontraremos, uma circunstância, ou um único momento, que não sirva direta e imediatamente à necessidade de nossa alma de curar-se, de alcançar a integridade. A ilusão é criada, para cada alma, por suas intenções. A ilusão, portanto, é alimentada a cada momento com as experiências mais apropriadas pelas quais você pode passar para que sua alma seja curada.

A ilusão é maleável. Isso não significa que o que é criado juntamente com a ilusão não seja independente das almas individuais que participam dessa criação. Significa que não existe uma só percepção que não possa ser curada, assim como não existe uma só intenção que não possa ser mudada ou substituída por outra. O empenho em compreender como a ilusão toma forma, como funciona, quais as dinâmicas que estão por trás dela e o papel que ela desempenha na evolução da alma está no âmago da psicologia espiritual.

A psicologia espiritual permite à personalidade dissociar-se da ilusão e, portanto, vê-la de uma perspectiva de conhecimento, vê-la em ação. Assim como, por exemplo, uma inteligência com conhecimento da medicina moderna seria capaz de viver entre as populações da Europa durante o tempo da peste bubônica sem ser afetada por ela, também uma personalidade com conhecimento da ilusão e do modo como ela opera é capaz de viver dentro dela sem ser por ela afetada.

A peste bubônica é transmitida pelas pulgas dos ratos. Isso é conhecido hoje, mas não o era então. Mantendo o seu ambiente limpo, evitando tudo o que atrai os ratos e praticando a higiene pessoal, a pessoa poderia não apenas sobreviver como também manter os outros igualmente a salvo. Quando sentimos medo, cólera ou ciúme, estamos numa ilusão cuja finalidade é trazer para a consciência as partes da alma que estão precisando de cura. Essas coisas não têm existência real. Eis por que o procurá-las não nos investe de poder. O que existe entre as almas é o amor, que é tudo quanto existe. Compreendendo isso, a personalidade torna-se capaz de permanecer consciente dentro da ilusão, de aceitar conscientemente a cura que esta oferece e de ajudar os outros a curar-se, da mesma forma. O poder da percepção e do conhecimento é idêntico em ambas as situações.

A ilusão tem poder sobre nós quando não somos capazes de lembrar-nos de que somos um espírito poderoso que assumiu a experiência física com o propósito de aprender. Ela exerce esse poder quando somos compelidos pelos desejos, impulsos e valores de nossa personalidade. Exerce-o quando tememos, odiamos, nos afligimos, nos ulceramos pela cólera ou explodimos de raiva. Esse poder deixa de existir quando amamos, quando a compaixão nos abre o coração para os outros, quando nossa criatividade flui livre e alegremente no momento presente. Em outras palavras, a ilusão não tem poder algum sobre a personalidade que está plenamente sintonizada com sua alma.

A ilusão é governada por dinâmicas impessoais de energia. É modelada, inicialmente, pela lei do carma. A configuração de cada personalidade – as intenções inconscientes com que nasce – é determinada pelo carma de sua alma. Essas intenções modelam a ilusão da personalidade, sua realidade na escola terrestre, até serem substituídas por outras intenções, inconscientes ou conscientes. Se as reações da personalidade criam carma adicional para a alma, e se esse carma não pode ser equilibrado durante a vida da personalidade, tal carma contribui para a modelação de outra personalidade, e as intenções desta última criam sua ilusão, sua realidade na escola terrestre, e assim por diante.

Mesmo depois que uma personalidade se torna cônscia de sua ilusão e estabelece suas intenções consoante essa percepção, as obrigações cármicas de sua alma devem, ainda assim, ser atendidas. Carma é carma. Energia é energia. A personalidade desperta compreende isso e, por conseguinte, não responde às experiências e aos eventos de sua vida com cólera, medo, tristeza ou ciúme, que criariam carma negativo adicional, mas sim com compaixão e confiando em que o Universo, a cada momento, está atendendo às necessidades de sua alma. Isso atrai para ela outras almas com a mesma freqüência de consciência.

Cada personalidade atrai para si personalidades com consciência de igual freqüência, ou igual fraqueza. A freqüência da cólera atrai a freqüência da cólera, a da avidez atrai avidez, e assim por diante. Assim é a lei da atração. A negatividade atrai negatividade, assim como o amor atrai amor. Destarte, o mundo de uma pessoa irada está cheio de pessoas iradas, o mundo de uma pessoa ávida está cheio de pessoas ávidas, enquanto uma pessoa amorosa vive num mundo de pessoas amorosas.

A lei da atração cria um casulo, por assim dizer, de energia semelhante em torno de cada personalidade, de modo que, quando ela procura curar sua cólera, ou seu medo, ou seu ciúme, o processo da metamorfose na direção da totalidade é intensificado e acelerado, é trazido para o centro do palco da consciência. A personalidade vê a sua cólera, ou o seu medo, não apenas em si mesma, mas em toda a parte fora dela. Se a personalidade opta conscientemente por curar a sua cólera, ou o seu medo, toda circunstância, todo embate se torna irritante e temível, enquanto o Universo responde compassivamente ao seu desejo de tornar-se íntegro.

Quando a cólera, ou o medo, opera numa personalidade, o mundo em que ela vive reflete crescentemente a cólera ou o medo a ser curado, de modo que, por fim, a personalidade se dá conta de que está criando suas próprias experiências e percepções e vê que sua justa cólera ou seu medo justificável se originam dentro dela e, portanto, só podem ser substituídos por outras percepções e experiências através da força de seu próprio ser.

Assim como a freqüência da cólera evoca uma freqüência semelhante na consciência das pessoas ao redor de uma personalidade encolerizada, também a freqüência do amor desperta respostas iguais. O que determina o efeito é a intenção. Se o que você oferece aos outros não é sensível, se não mantém e alimenta, se não lhes aumenta o poder, mas antes o diminui, encontrará resistência em algum nível, e essa resistência será o reverso de sua energia, que tenta tirar poder, ou controlar. Separação e distanciamento são sempre o fruto da busca do poder externo.

É dentro desse contexto impessoal que operam as dinâmicas da tentação e da escolha responsável.

O sistema emocional humano pode ser dividido, em linhas gerais, em dois elementos: o medo e o amor. O amor é a alma; o medo é a personalidade. A ilusão de cada personalidade é gerada e sustentada pelas emoções que acompanham o medo, tais como a cólera, a raiva, o desejo de vingança, o ódio, o ciúme ou a inveja, a solidão, o despeito, a tristeza, o desespero, o pesar, o arrependimento, a avidez, a luxúria, a arrogância, a alienação, a autopiedade, a letargia, o sentimento de culpa, o ressentimento e os sentimentos de inferioridade e superioridade. Emoções desse tipo impelem a comportamentos correspondentes, como o egoísmo – em relação às pessoas, aos animais, à Terra e aos reinos da Terra – a exploração do próximo, das várias formas como os seres humanos se usam uns aos outros – comercial, sexual e emocionalmente – a mentira, a manipulação, a violência, a brutalidade, a impaciência, o sarcasmo e o julgamento.

Quando a personalidade é inconsciente, toda emoção de medo, ou que acompanha o medo, produz um comportamento negativo, um comportamento que cria carma negativo para a alma. Cada uma das emoções que acompanham o medo pode causar qualquer um dos comportamentos baseados no medo. O ciúme, por exemplo, pode resultar na mentira ou no sarcasmo, que são formas de manipulação, ou na violência. A avidez pode resultar na impaciência, que é uma forma de egoismo, ou no julgamento ou uso dos outros.

Se não estiver cônscio da parte de si mesmo que é irascível, por exemplo, se não estiver cônscio de si mesmo como uma personalidade fragmentada, você determinará impensadamente

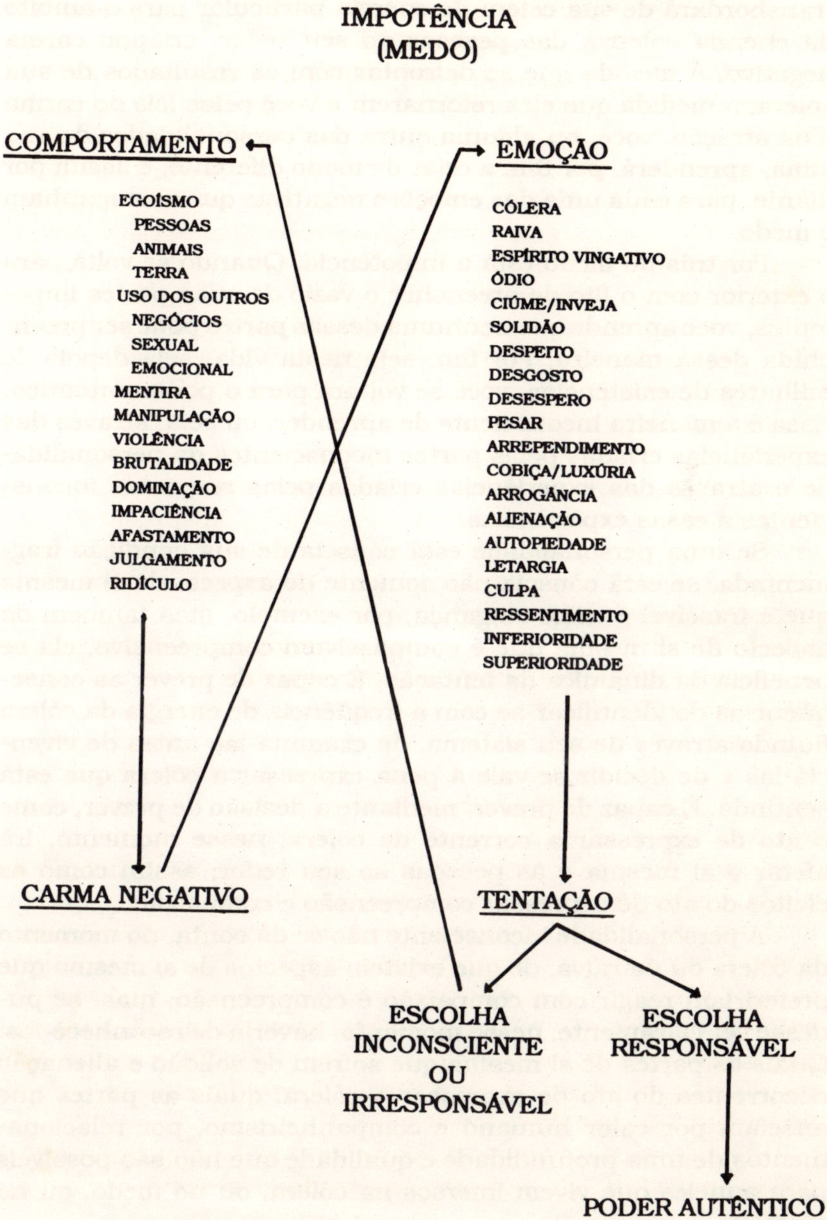
IMPOTÊNCIA
(MEDO)
COMPORTAMENTO
EGOÍSMO
PESSOAS
ANIMAIS
TERRA
USO DOS OUTROS
NEGÓCIOS
SEXUAL
EMOCIONAL
MENTIRA
MANIPULAÇÃO
VIOLÊNCIA
BRUTALIDADE
DOMINAÇÃO
IMPACIÊNCIA
AFASTAMENTO
JULGAMENTO
RIDÍCULO
EMOÇÃO
CÓLERA
RAIVA
ESPÍRITO VINGATIVO
ÓDIO
CIÚME/INVEJA
SOLIDÃO
DESPEITO
DESGOSTO
DESESPERO
PESAR
ARREPENDIMENTO
COBIÇA/LUXÚRIA
ARROGÂNCIA
ALIENAÇÃO
AUTOPIEDADE
LETARGIA
CULPA
RESSENTIMENTO
INFERIORIDADE
SUPERIORIDADE
CARMA NEGATIVO
TENTAÇÃO
ESCOLHA
INCONSCIENTE
OU
IRRESPONSÁVEL
ESCOLHA
RESPONSÁVEL
PODER AUTÊNTICO

a ira dessa parte. Você agredirá, ou se retrairá, ou escarnecerá – em suma, expressará sua ira de um modo ou de outro. A ira transbordará de sua esfera de energia particular para o âmbito da energia coletiva das pessoas ao seu redor, criando carma negativo. À medida que se defrontar com os resultados de sua cólera, à medida que eles retornarem a você pelas leis do carma e da atração, você, ou alguma outra das personalidades de sua alma, aprenderá, por fim, a criar de modo diferente, e assim por diante, para cada uma das emoções negativas que acompanham o medo.

Por trás do medo está a impotência. Quando se volta para o exterior com o fito de preencher o vazio de suas partes impotentes, você aprende que nenhuma dessas partes pode ser preenchida dessa maneira. Por fim, seja nesta vida, seja depois de milhares de existências, você se voltará para o poder autêntico. Essa é a maneira inconsciente de aprender, ou seja, através das experiências criadas pelas partes inconscientes da personalidade e através das experiências criadas pelas respostas inconscientes a essas experiências.

Se uma personalidade está cônscia de sua condição fragmentada, se está cônscia não somente do aspecto de si mesma que é irascível e exige vingança, por exemplo, mas também do aspecto de si mesma que é compassivo e compreensivo, ela se beneficia da dinâmica da tentação. É capaz de prever as conseqüências do identificar-se com a freqüência de energia da cólera fluindo através de seu sistema, de examiná-las antes de vivenciá-las e de decidir se vale a pena expressar a cólera que está sentindo. É capaz de prever, mediante a decisão de prever, como o ato de expressar a corrente de cólera, nesse momento, irá afetar a si mesma e às pessoas ao seu redor, assim como os efeitos do ato de expressar compreensão e compaixão.

A personalidade inconsciente não se dá conta, no momento da cólera ou da raiva, de que existem aspectos de si mesma que prefeririam reagir com compaixão e compreensão, mas, se pudesse ver claramente, nesse momento, haveria de reconhecê-los. Quais as partes de si mesma que sofrem de solidão e alienação decorrentes do ato de expressar a cólera, quais as partes que anseiam por calor humano e companheirismo, por relacionamentos de uma profundidade e qualidade que não são possíveis para aqueles que vivem imersos na cólera, ou no medo, ou no ciúme?

Se a personalidade que é tentada decide sintonizar-se com o amor, a clareza, a compreensão e a compaixão, ela obtém poder. O impulso para a cólera, ou o ressentimento, ou a vingança, perde poder sobre ela e, assim, passo a passo, com uma decisão consciente após outra, ela se torna verdadeiramente poderosa. Se decide permanecer inconsciente, evitando assumir a responsabilidade por suas ações, ela permite às correntes de energia negativa formar-lhe as palavras e moldar-lhe as ações. Daí resulta um comportamento negativo, assim como um carma negativo.

O que significa isso no que diz respeito à ilusão?

O comportamento negativo produz nos outros e em nós mesmos emoções negativas e, portanto, mais oportunidades para obter poder através da escolha responsável ou para criar carma negativo. Carma negativo significa que a personalidade que escolhe o comportamento negativo sofrerá os efeitos do mesmo comportamento negativo da parte de outra personalidade e terá novamente a oportunidade de decidir entre liberar ou continuar com esse modo de aprender.

Isso é ilusão. É ilusão porque você e as outras almas envolvidas concordaram, com compaixão e sabedoria, em participar nas dinâmicas de aprendizagem da escola terrestre para curar-se. É ilusão porque, na realidade não-física, nem o espaço, nem o tempo, nem a cólera, nem o ciúme e nem o medo existem. É ilusão porque, quando você "voltar para casa", deixará de existir.

Como, pois, julgar uma alma que está envolvida nesse processo de aprendizagem? Que passo, ou que passos, você abstrai para dizer: "Isto é errado", "Aquilo vale a pena", "Aqui ela obteve êxito" e "Aqui ele fracassou"? Não se pode julgar o aprendizado de uma alma quanto à forma como esse aprendizado ocorre sem criar carma negativo. Em outras palavras, a alma pode ser observada em processo. Assim como podemos perguntar a nós mesmos: "De onde procede a minha cólera?" e compreender que ela brota de uma infinidade de dinâmicas, algumas das quais foram postas em movimento há séculos ou há mais tempo ainda e só agora estão sendo concluídas, que ela é uma corrente de energia em nosso íntimo a qual estamos tentando liberar a fim de curar nossa alma e equilibrar nossa energia cármica, não podemos julgar os outros como se fôssemos um juiz num tribunal onde está em julgamento uma experiência singular de cólera. Em vez disso, teríamos de ver claramente que existe um processo em desenvolvimento e acrescentar a isso o fator do carma.

Podemos apenas julgar que a alma está envolvida, por sua própria vontade, num processo de cura e que ela está evoluindo, como nós estamos e como o está o resto do Universo. Isso é justiça não-judicativa. É a justiça que não julga o processo da evolução da alma, mas apenas reconhece com amor que a alma está buscando o amor.

Não é próprio do Universo olhar através dos olhos do certo e do errado, do fracasso ou do sucesso. Como podemos saber o que é o "sucesso"? Podemos ver com plenitude as causas e os efeitos de nosso ser, de nossos atos e de nossas palavras? Como saber, portanto, o que é o sucesso e como imaginar o que é o fracasso? O que é o "fracasso", senão um processo de causa e efeito? O que chamamos de fracasso é simplesmente uma causa e seu efeito, simplesmente o processo de causa e efeito em ação. É sábio imaginar as dinâmicas que consideramos "fracasso" e "sucesso" como desprovidas de existência real, porque elas só existem da perspectiva do julgamento, e não da perspectiva da verdade.

Como dizer o que, na ilusão, é digno e o que não o é? "Indignidade" é o julgamento do não ser perfeito. Mas olhe ao seu redor: você vê a perfeição concluída nos seres humanos, exceto o fato de serem, em seus próprios processos, perfeitos e dignos? É o processo que é digno e perfeito em todos os tempos, e é nele que nossa tarefa é plenamente concluída.

Como saber o que procurar e o que não procurar enquanto estamos na ilusão?

Pergunte a si mesmo qual é a diferença entre suas necessidades essenciais e suas necessidades adquiridas – outro termo poderia ser, talvez, necessidades artificiais. Quais são suas necessidades genuínas e quais as que você criou por razões outras, para controlar ou manobrar os outros, ou para ser alvo de atenção? Distinga-as em sua mente. Conheça a si mesmo com suficiente clareza e profundidade para reconhecer o que é uma necessidade legítima de você como ser humano e de você como aquela parte de si mesmo que criou necessidades por outras razões – tais como obter notoriedade externa, ou prestígio, ou tornar-se um indivíduo distinto. Aprenda a identificá-las, e então escolha com qual delas deseja viver.

Por exemplo, sua irritação com o barulho da casa do vizinho resulta de uma necessidade genuína que não está sendo atendida ou de uma necessidade criada? Sua contrariedade com os sons produzidos pelo caminhão de lixo ou seu desejo de que o balconista da mercearia o trate com cortesia refletem uma necessidade essencial ou uma necessidade artificial? Aprenda a distinguir suas necessidades reais, o que você de fato necessita como ser humano e como alma, das necessidades que adotou por razões que se baseiam no poder externo e não procedem das necessidades da alma. Uma vez alcançada uma percepção clara disso, você poderá dissociar-se de seu eu artificial e, então, estará em condições de escolher claramente o modo como deseja responder e de considerar-se responsável quando permitir que suas necessidades artificiais prevaleçam.

As necessidades autênticas pertencem à alma. Você tem necessidade, por exemplo, de amar e ser amado. Tem necessidade de expressar sua criatividade, seja ela formar uma família ou liderar um país. Tem necessidade de cultivar seu espírito, de empenhar-se conscientemente em sintonizar sua personalidade com sua alma. Tem necessidade de ser aconselhado com a sabedoria impessoal de seus Mestres não-físicos e da orientação de seus guias não-físicos. Estas são algumas de suas necessidades.

As necessidades não-autênticas pertencem à personalidade. São as que você adota em sua vida física para manobrar o espaço que reivindica e sobre o qual se movimenta na Terra. As necessidades artificiais são as necessidades por via das quais se incorre em carma negativo. Quando nos empenhamos em satisfazer nossas necessidades sem deixar que elas se desvaneçam, quando nos determinamos a atendê-las ou usá-las, podemos criar grande carma negativo.

Uma necessidade não-autêntica é uma barreira. Nem as nações nem os indivíduos necessitam de tanto quanto têm. São barreiras artificiais, e o propósito subjacente à sua formação é o acúmulo de poder externo. O ganho secundário, por assim dizer, que está por trás da criação de necessidades artificiais é o poder artificial. Olhe lucidamente e o verá por toda a parte – nos casamentos, nas relações internacionais, em cada conflito.

Não é possível experimentar o completo emergir da alma quando se está obnubilado por necessidades artificiais. Quando isso acontece, tudo o que se pode ver são as necessidades artificiais, e você as vê como sendo sempre importantes, sempre significativas. Mas serão mesmo? Quando você olha para suas necessidades não-autênticas, pode ver como elas lhe tiram energia? Enquanto suas prioridades provierem de seu eu inferior, você não poderá entrar diretamente em contato com seu eu superior.

As necessidades autênticas são aquelas a que o Universo sempre atende. É o Universo que provê às suas necessidades autênticas. Você está sempre recebendo oportunidades de amar e ser amado, por exemplo, mas pergunte a si mesmo quantas vezes em sua vida desperdiçou essas oportunidades.

Aprendendo a responder a suas necessidades autênticas e permitindo que suas necessidades artificiais caiam por terra, como mecanismos de defesa desnecessários, você se torna mais aberto, compreensivo e compassivo para com os outros. Existe um processo natural de dar e receber no curso de toda vida humana. Cada ser humano tem necessidades autênticas e não-autênticas, e é daí que nos vem a força de caráter natural para o fluxo entre nós no ambiente vivo. Você começa a aprender a dar e a receber quando começa a agir mediante uma compreensão daquilo que suas reais necessidades de fato são, e aprende a comprometer-se, a dar e a transcender quando essa compreensão se estende às necessidades daquelas partes de você mesmo que não são genuínas ou não lhe promovem o desenvolvimento.

Se você olhar claramente através de suas necessidades autênticas, verá que o que realmente sente ameaçado quando experimenta uma necessidade artificial é a perda de poder e, portanto, em vez de ser capaz de dirigir-se a ela imediatamente, cria uma necessidade artificial que faz o discurso por você. Aprenda a dirigir-se à necessidade real para que não precise onerar a si mesmo com padrões comportamentais que não são verdadeiros em sua própria natureza, que o obnubilam e lhe conferem uma *persona* fictícia de acordo com a qual você precisa viver.

Comece observando fielmente suas necessidades em ação – onde elas são reais e onde não o são; e, onde não o forem, espere sentir uma emoção negativa. Procure dissociar-se desse sentimento, de modo a não mais ser obcecado por ele, nem ficar inconsciente de que o está sentindo. Mantenha-se afastado dele, de modo a permitir que comece a operar à sua maneira através de você, sem penetrá-lo tão profundamente quanto o faz quando cria ação e pensamento negativos, retraimentos emocionais e todas as outras reações que suscita em você. Tente dissociar-se dele; sempre que for capaz de vê-lo, você se dissociará cada vez mais dele.

Você começará a ser capaz de ver a ilusão em movimento, e isso faz parte do poder autêntico.

15

Poder

Qual a natureza do poder? Que significa ser um ente humano deveras poderoso?

O poder não é a capacidade de exercer a própria vontade sobre outrem. Não há segurança interior nesse tipo de poder: ele é um atributo do tempo e, conforme o tempo muda, ele também muda. Você tem um corpo forte, que os outros não podem desafiar? Isso mudará. Que fará você, então? Você tem uma beleza física que pode ser usada para influenciar os outros? Isso mudará. Que fará você, então? Você tem uma esperteza que lhe permite manobrar os outros? Que acontecerá quando estiver cansado demais para usá-la, ou quando perder a oportunidade?

Se você não está à vontade no mundo, você vive tomado pelo medo de alguém que nunca consegue relaxar e gozar a Vida. Isso é poder? Não existe poder no medo. Não existe poder numa forma de pensamento de medo, ainda que respaldada por exércitos. Os exércitos de Roma desapareceram há mais de um milênio, mas a força da vida de um único ser humano que os soldados romanos mataram continua a moldar o desenvolvimento da nossa espécie. Quem detinha o poder?

Você é apenas tão poderoso quanto aquilo por que se empenha. Você se empenha por mais dinheiro no banco e uma casa maior? Empenha-se em obter uma companheira atraente? Empenha-se em impor aos outros seu modo de pensar? Estes são os empenhos da personalidade que busca satisfazer os seus desejos. Você se empenha em prol da perfeição, da beleza e da compaixão de cada alma? Empenha-se em prol do poder do amor e da clareza da sabedoria? Empenha-se em prol do perdão e da humildade? Estes são os empenhos da personalidade que se sintonizou com sua alma. Esta é a postura de uma personalidade realmente poderosa.

O poder é a energia formada pelas intenções da alma. É a Luz moldada pelas intenções do amor e da compaixão guiadas pela sabedoria. É a energia focalizada e dirigida no sentido do cumprimento das tarefas da alma na Terra e do desenvolvimento da personalidade como instrumento físico da alma apropriado a essas tarefas. É a força que molda a ilusão segundo as imagens das almas que a estão criando, e não as de suas personalidades.

O que significa isso?

Há um contínuo intercâmbio de energia entre as almas. Esse intercâmbio é rompido quando se rompe a personalidade. A energia, o poder deixam uma personalidade fragmentada através de cada uma de suas diferentes partes. Se uma parte de você receia perder o emprego, outra teme perder um relacionamento e outra teme a confrontação com um colega de trabalho desagradável, o poder flui de você sem seu controle consciente. É assim que operam as dinâmicas de energia de uma personalidade desprovida de poder.

Quando a energia lhe causa medo ou desconfiança, não pode trazer-lhe senão desconforto e dor. Quando a energia flui de seu sistema na forma de medo ou desconfiança, você experimenta uma sensação física de dor ou desconforto na parte do corpo associada ao centro de energia particular que está perdendo poder. Quando teme por sua capacidade de proteger-se e cuidar de si no mundo, de pagar o aluguel, por exemplo, ou de manter-se a salvo dos danos físicos ou emocionais – quando vê o poder como coisa externa e sente que não o tem o bastante para garantir seu bem-estar e segurança – você experimenta desconforto ou dor na área do estômago, na área do plexo solar. O que chamamos de ansiedade é a experiência do poder saindo através do centro de energia localizado nessa área do corpo. Um acesso de ansiedade é uma perda maciça de poder em seu sistema através desse centro de energia. As perdas de poder afetam as partes que circundam o corpo. A perda de poder através desse centro, por exemplo, pode causar indigestão. Se for crônica ou aguda, poderá ulcerar o estômago.

Quando teme que sua capacidade de amar ou ser amado seja ameaçada, quando teme, por exemplo, expressar o seu amor ou recebê-lo de outrem, você sente uma dor ou desconforto físico na região do tórax, perto do coração. O que sentimos, literalmente, como dor no coração é a experiência do poder saindo em forma de medo ou desconfiança através desse centro de energia. Você perdeu um companheiro, ou um filho, ou alguém que lhe era muito caro? Defina sua experiência. Determine o que é que está sentindo. Descobrirá que seu corpo dói, que você sente uma dor na vizinhança do tórax. Esta é a experiência do poder saindo através desse centro de energia. É isso que a dor no coração é, a perda de poder através do centro do coração. A perda de poder, crônica ou aguda, através do centro do coração resulta, literalmente, num ataque cardíaco. Está mais ligada ao enfarte do miocárdio, ao ataque cardíaco, do que o colesterol no sangue e outras condições do sistema físico.

Toda dor, toda disfunção ou doença do corpo físico podem ser entendidas em termos de perda de poder para uma circunstância ou objeto externo, através de um dos vários centros de energia do corpo. Você perde poder quando se indigna com uma injustiça. Perde poder quando é ameaçado por outra pessoa, ou outras pessoas. Perde poder quando se distancia de seus amigos por ressentimento ou rancor, ou por sentir-se desapontado, ou devido a um sentimento de indignidade ou de superioridade. Perde poder quando anseia por alguma coisa ou alguém, quando se aflige e quando inveja outra pessoa. Por baixo de tudo isso está o medo, o medo de ser vulnerável, o medo de não ser capaz de enfrentar a vida sem a pessoa ou a situação que você perde, de estar em desvantagem por não ter aquilo que inveja. Você perde poder toda vez que sente medo. É isso que a perda de poder significa.

Você não cessa de perder poder quando se recusa a reconhecer o seu medo, anestesiando-se para aquilo que está sentindo. O caminho para o poder autêntico é sempre através do que você sente, através do coração. O caminho do coração é o caminho da compaixão e da percepção emocional. Assim, nunca é adequado suprimir uma emoção ou menosprezar aquilo que se sente. Se você não sabe o que sente, não poderá vir a conhecer a natureza fragmentada de sua personalidade e a desafiar os aspectos e energias que não servem ao seu desenvolvimento.

Permanecendo na posse de seu poder, você não se torna um sistema de energia estático, que acumula energia para si próprio. Torna-se um sistema de energia estável, capaz de atos conscientes de concentração e intenção. Torna-se um ímã para os que são iluminados e para os que querem sê-lo. Quando a energia sai de você de um modo que não o de força e confiança, ela so pode voltar-lhe como dor e desconforto. O ser humano investido do autêntico poder é, pois, o ser humano que não libera sua energia senão em forma de amor e confiança.

Quais são as características do ser humano investido do poder autêntico?

A pessoa investida do poder autêntico é humilde. Não se trata da falsa humildade de alguém que se rebaixa para estar com os que se encontram em posição inferior. É a abrangência de alguém que responde à beleza de cada alma, que vê em cada personalidade, e nas ações de cada personalidade, a alma encarnada na Terra. É a inocência de alguém que ama, dignifica e reverencia a vida em todas as suas formas. Você está preocupado com a Terra? Os humildes jamais causaram danos à Terra.

Que significa ser inofensivo?

Significa ser tão forte que não se tem necessidade de prejudicar nenhuma criatura. Esse é o significado da inocência: você é tão capaz e poderoso que a idéia de mostrar poder fazendo o mal sequer faz parte de sua consciência. Sem humildade genuína não podemos ter esse tipo de poder, porque o poder se retira de nós quando sentimos que a situação em que nos encontramos ou as pessoas com quem estamos não têm o nosso respeito.

O espírito humilde caminha num mundo familiar. As pessoas não lhe são estranhas: são os seus companheiros na Terra. O espírito humilde não pede mais do que necessita, e o que ele necessita o Universo provê. O espírito humilde se contenta com a satisfação de suas necessidades autênticas e não é sobrecarregado com necessidades artificiais.

Os espíritos humildes são livres para amar e ser o que são; não têm padrões artificiais a obedecer; não são atraídos pelos símbolos do poder externo; não competem pelo poder externo. Isso não significa que não se orgulhem de suas habilidades, ou que não concentrem seus esforços para produzir o melhor que podem, ou que não sejam incitados por seus companheiros humanos quando isso for apropriado.

Competir significa lutar por alguma coisa em companhia ou junto com outras pessoas, aspirar a algo, tentar alcançar algo, buscar algo com os outros. Se esse algo a que você aspira é prestígio ou notoriedade, ou uma medalha de ouro em vez de uma medalha de bronze, o que está motivando a competição é a sua personalidade. Você está empenhado em alcançar o poder a expensas do próximo, para afirmar sua superioridade em relação a outros seres humanos. Está empenhado na luta pelo poder externo. Ao lutar por este ou aquele prêmio, você pede ao mundo que avalie e reconheça o seu valor antes que você mesmo possa valorizar-se; deposite o seu senso de valor próprio nas mãos dos outros. O poder lhe escapa, mesmo que você venha a ganhar todas as medalhas de ouro do mundo.

Se o que você procura é o júbilo de dar sem reservas, de dar com propósito, alegria e consciência tudo quanto possui em prol do esforço que você e outras almas estão produzindo conjuntamente, sua competição é a expressão de sua alma. Quando o esforço que termina por último no tempo tem o mesmo valor do esforço que termina primeiro, quando você exalta a qualidade da alma imortal, atemporal, em vez da personalidade e do corpo circunscritos pelo tempo, quando o tamanho, a cor ou a forma do que você recebe ou não recebe não tem importância, então você saberá o que é o poder do espírito humilde.

A pessoa investida do poder autêntico sabe perdoar. O perdão não é um problema moral, é uma dinâmica e energia. A maioria das pessoas, quando perdoam, não querem que aqueles a quem perdoam esqueçam que elas perdoaram e esqueceram. Esse tipo de perdão manipula a pessoa perdoada; não é perdão, é um meio de adquirir poder externo sobre as outras pessoas.

Perdão significa não carregar a bagagem de uma experiência. Quando não perdoamos, a experiência não perdoada adere a nós. Quando não perdoamos, é como se usássemos óculos escuros, que distorcem tudo, e então somos forçados a olhar a Vida diariamente através dessas lentes contaminadas, porque optamos por conservá-las. Queremos que todos vejam o mundo desse modo porque queremos ver o mundo desse modo; é, de fato, para o mundo que estamos olhando, mas somos apenas nós que o vemos assim. Olhamo-lo através das lentes do nosso amor contaminado.

Perdão significa que não responsabilizamos os outros por nossas experiências. Se não nos responsabilizamos por aquilo que vivenciamos, responsabilizaremos alguma outra pessoa, e se não estamos satisfeitos com as coisas que vivenciamos, tentaremos mudá-las manipulando essa pessoa. A queixa, por exemplo, é exatamente essa dinâmica de querer que alguém seja responsável por nossa experiência e decida por nós.

A queixa é uma forma de manipulação, mas você é livre para ultrapassá-la na etapa que vem logo a seguir, que é a percepção e a partilha sem manipulação. O que está em jogo não é a partilha, mas a intenção que está por trás dela, a maneira como você faz a partilha, ou como a molda, logo de início – a intenção com que compartilha. Antes de compartilhar, pergunte a si mesmo: "Qual é a minha intenção ao compartilhar isso? Estou esperando uma resposta específica?" Use isso como forma de centralizar sua atitude antes de comprometer sua energia nas palavras. Quando você assume a responsabilidade por aquilo que vivencia e compartilha o que vivencia num espírito de companheirismo, isso equivale ao perdão.

Quando responsabilizamos alguém por aquilo que vivenciamos, perdemos poder. Não podemos saber o que outra pessoa irá fazer. É por isso que, quando dependemos de outrem para as experiências que nos parecem necessárias ao nosso bem-estar, vivemos continuamente temerosos de não receber o que precisamos. A percepção de que alguém é responsável pelo que vivenciamos subjaz à idéia de que o perdão é algo que uma pessoa faz por outra. Como podemos perdoar outra pessoa pelo fato de termos optado por despojar-nos de nosso poder?

Quando perdoamos, liberamos o julgamento crítico tanto de nós mesmos quanto dos outros. Iluminamo-nos. Não nos apegamos às experiências negativas decorrentes das decisões que tomamos enquanto ainda estávamos aprendendo. Isso é arrependimento. O arrependimento é a dupla negatividade de apegar-se à negatividade. Se uma pessoa se arrepende de suas experiências, enquanto outra é capaz de rir-se delas, qual é a mais sábia? Qual delas é inocente? O coração que dança é um coração inocente. O coração que não ri é um coração opresso. Só o coração que dança é inocente.

Isso não quer dizer que você não aprenda com o que vivencia e não aplique isso a cada momento ao tomar suas decisões. Isso é escolha responsável. Se você está dando o máximo de sua capacidade, da melhor maneira que pode, nada mais pode ser exigido de uma alma.

O ser humano investido do poder autêntico é claro em suas percepções e pensamentos. Clareza é a percepção decorrente da sabedoria. É ver com sabedoria. É ser capaz de perceber e compreender a ilusão, e deixá-la atuar. É ser capaz de ver, para além das atividades da personalidade, a força da alma imortal. É ser capaz de compreender o que é que está forcejando por tomar forma – a saúde e a integração da personalidade, a evolução da alma. É a capacidade de reconhecer dinâmicas não-físicas quando elas aparecem no mundo do tempo e da matéria. É compreender as leis do carma e da atração e suas relações com o que se vive. É ser capaz de ver o papel da escolha responsável e de escolher responsavelmente a cada momento.

Clareza é a capacidade de ver a alma em ação no mundo físico. Resulta da escolha de aprender através da sabedoria, em vez de através do medo e da dúvida. A clareza permite-nos encarar nossos companheiros humanos com compaixão, e não com julgamento. Você é capaz de ver o carma que uma outra pessoa está criando para si ao escolher as correntes da ira ou da avidez? Você mesmo não tem feito essas escolhas? Não se tem sentido vulnerável? Não tem agredido os outros? A clareza gera a verdadeira compaixão, a partilha da compaixão com os outros, permitindo o fluir da energia do coração.

A clareza transforma a dor em sofrimento. Ela vê a dinâmica da personalidade que é a causa da dor e a relação entre essa dinâmica e a experiência da evolução da alma. É a percepção, a cada momento, de que tudo tende para a totalidade e a perfeição e de que todo aspecto serve, em última análise, para uma bela aprendizagem. A personalidade investida do poder autêntico vê a perfeição de cada situação e de cada experiência para a evolução de cada alma e a maturação de cada personalidade envolvida. Vê perfeição em toda a parte e nos menores detalhes. Para onde quer que olhe, enxerga a mão de Deus.

A clareza dissipa o medo. Permite-nos escolher o caminho vertical e nele permanecer. Permite-nos compreender a dinâmica subjacente aos nossos vícios – o propósito a que servem e o modo como operam – e fazer as escolhas que os enfraquecerão e nos fortalecerão. Permite-nos desafiar não apenas uma força que não compreendemos – como a atração do álcool, da droga ou do sexo indiscriminado – mas também uma dinâmica que compreendemos em termos de suas causas e seus efeitos. Permite-nos escolher conscientemente e saber por que escolhemos.

A clareza permite-nos ver o mundo da matéria física pelo que ele é – um ambiente de aprendizagem criado conjuntamente pelas intenções das almas que o compartilham. Assim, ele nos permite reconhecer os efeitos das intenções que moldam a realidade pessoal de cada ser humano e que operam em níveis de realidade criados conjuntamente. Permite-nos ver, por exemplo, em que medida os relacionamentos entre as nações foram moldados pela energia da personalidade e em que medida foram moldados pela energia da alma, e reconhecer que a energia da alma está totalmente ausente nesse nível e na maioria dos outros.

A clareza permite-nos ver que o processo de tomada de decisão na condição humana está ligado à evolução dos outros, e de que modo. Permite-nos ver que, através das decisões que tomamos, participamos na evolução de dinâmicas de energia conjugadas, tais como os arquétipos – as idéias humanas coletivas – da parceria sagrada, do masculino, do feminino, da esposa, do sacerdote. Permite-nos ver que nosso contributo para a evolução da nossa alma são precisamente as decisões que tomamos a cada momento, e que essas decisões são incorporadas à realidade física que partilhamos com outros seres humanos.

A pessoa investida do poder autêntico vive imersa no amor. O amor é a energia da alma. É o amor que cura. Nada existe que não possa ser curado pelo amor. Nada existe senão amor.

O amor não é um estado passivo, é uma força ativa. É a força da alma. O amor faz mais do que trazer a paz aonde existe conflito: traz um modo diferente de estar no mundo: traz harmonia e um interesse ativo pelo bem-estar dos outros, traz zelo e cuidado; traz Luz; dissipa as preocupações da personalidade. Na Luz do amor, só existe amor.

Há uma relação entre o amor e o poder e a transformação da qualidade das experiências que ocorrem na escola terrestre como um todo. O tipo de poder que você está tentando transformar em si próprio é o tipo de poder que precisa ser transformado na Terra em geral. Existem muitos e muitos e muitos seres humanos que são atraídos pela violência – fantasias violentas e atos violentos. A maioria deles está centrada, essencialmente, no fato de que o próprio indivíduo se sente impotente e vitimado e, portanto, quer viver, por um breve espaço de tempo e com outro ser humano, um sentimento de estar investido de poder, mas, nessa área, não se pode encontrar nenhum poder genuíno.

É pela evolução de nossa própria consciência, pelo nosso empenho em fazer escolhas propiciadoras de poder que criamos a distância necessária entre nós e nossas emoções negativas e nos curamos de tal maneira que a violência deixa de impor-se a nós. Para curar a violência, é preciso haver amor.

O amor é a energia da alma e, portanto, a experiência de

dar e receber amor, de viver uma vida de amor, preenche a personalidade. É algo que a personalidade procura continuamente. Buscar o amor inconscientemente pode produzir ira e medo. Isso acontece quando a personalidade não vê claramente o que está buscando, como sucede no caso do vício.

Se você está à procura de um relacionamento sexual vicioso, por exemplo, está à procura de amor. É a ilusão que o faz pensar que está em busca de algo másculo ou feminil. Você está em busca do amor, mas não o admitirá e não lidará com ele e, portanto, há ira em você, porque existe um nível de energia e emoção que anseia por manifestar-se, mas nunca encontra uma saída.

É impossível, emocional e espiritualmente, ter uma ligação sexual com um ser humano sem inflamar certos padrões emocionais, porém estes são um contínuo beco sem saída quando o ato não é acompanhado de nenhum relacionamento ou de um sentir emocional verdadeiro. Há, pois, um certo grau de brutalidade, de frustração e, por fim, de doença emocional que resulta em enfermidade e colapso físicos, porque um padrão significativo está sendo tremendamente violentado. Lembre-se: você recebe aquilo que pede.

Pedir amor é pedir a energia da alma. Ele traz consigo uma preocupação genuína com o outro. Não podemos prejudicar alguém cujo bem-estar se acha em nosso coração.

Quando tentamos impor a outra pessoa nossa inteligência ou modo de ver, estamos buscando o amor, mas desbaratamos a nossa busca, por assim dizer, com os desejos de nossa personalidade. Estamos buscando o poder externo, onde só existe o vazio. Quando tentamos dominar outra pessoa, não dominamos ninguém, mas perdemos poder. Quanto mais privados de poder nos sentimos, mais sentimos a necessidade de controlar o que é externo. A personalidade amorosa não busca controlar, mas nutrir; não busca dominar, mas conferir poder. O amor é a riqueza e a plenitude de nossa alma fluindo através de nós.

Humildade, perdão, clareza e amor são as dinâmicas da liberdade. São os alicerces do autêntico poder.

16

Confiança

Cada alma vem à Terra com dons particulares. A alma não se encarna apenas para curar e equilibrar sua energia, para pagar suas dívidas cármicas, mas também para dar sua contribuição de maneiras específicas. Cada alma confere às necessidades da escola terrestre a configuração particular da força vital que ela é, e o faz com propósito e intenção.

Antes de se encarnar, cada alma concorda em desempenhar certas tarefas na Terra. Estabelece um acordo sagrado com o Universo a fim de alcançar objetivos específicos, e assume esse compromisso com a plenitude de seu ser. Eis por que, quando uma alma logra concretizar seu objetivo, cumprindo a tarefa que concordou em executar, há uma riqueza e uma singularidade na vida dessa personalidade que é reconhecida e honrada pelas almas que são suas companheiras, tanto físicas quanto não-físicas.

Cada alma toma para si uma tarefa específica. Pode ser a tarefa de criar uma família, de comunicar idéias por escrito, de transformar a consciência de uma comunidade, como, por exemplo, uma comunidade de negócios. Pode ser a tarefa de despertar a consciência do poder do amor no nível das nações, ou mesmo de contribuir diretamente para a evolução da consciência num nível global. Seja qual for a tarefa que sua alma concordou em levar a cabo, seja qual for o seu contrato com o Universo, todas as experiências de sua vida servem para despertar em você a lembrança desse contrato e prepará-lo para cumpri-lo.

A personalidade desprovida de poder não pode completar a tarefa de sua alma. Enlanguesce numa sensação de vazio interior. Tenta preencher esse vazio com o poder externo, mas continuará insatisfeita. Essa sensação de vazio, ou da falta de alguma coisa, ou de que algo está errado, não pode ser curada pela satisfação dos desejos da personalidade. Satisfazer as necessidades baseadas no medo não nos leva à autenticidade do propósito. Não importa quão bem-sucedida a personalidade se torne ao alcançar suas metas, estas metas não serão suficientes. Um dia ela haverá de ansiar pela energia de sua alma. Só quando a personalidade principiar a trilhar a senda escolhida por sua alma é que sua fome será satisfeita.

A obtenção do poder autêntico e a execução da tarefa da alma na Terra não são, pois, dinâmicas separadas. A aquisição do poder autêntico é necessária para se poder cumprir plenamente a missão da alma; assim, quando você caminha na direção do poder autêntico, está caminhando no sentido de cumprir o acordo estabelecido entre sua alma e o Universo e, à medida que avança rumo à consecução dessa meta – à medida que avança conscientemente em direção à energia de sua alma – você se investe de poder. Você e a obra de sua alma na Terra se expandem. À medida que um cresce e se desenvolve, o mesmo sucede com o outro.

Quando a alma se encarna, sua lembrança do acordo estabelecido com o Universo enfraquece. Torna-se dormente, à espera das experiências que irão ativá-la. Essas experiências não são experiências que a personalidade necessariamente escolheria. Não obstante, são necessárias para ativar a percepção do poder e da missão da alma na consciência da personalidade, e para a sua preparação para essa tarefa.

Como lembrar-se da tarefa de sua alma?

Quando a parte mais profunda de você se envolve naquilo que você está fazendo, quando suas atividades e ações se tornam gratificantes e imbuídas de propósito, quando o que você faz serve a você e aos outros, quando não se cansa interiormente, mas procura a doce satisfação de sua vida e de seu trabalho, você está fazendo aquilo que está destinado a fazer. A personalidade empenhada no trabalho de sua alma é uma personalidade jubilosa. Não está carregada de negatividade. Não tem medo. Vive a intencionalidade e o significado. Deleita-se em seu trabalho e nos outros. Está preenchida e preenchendo.

As interações com nossos pais, com aqueles que escolhemos para compartir nossa intimidade e com aqueles com quem – dentre os bilhões de almas encarnadas em nosso planeta –

partilhamos aspectos de nossa vida, servem para ativar em nosso íntimo a percepção de quem somos e do que devemos fazer aqui. As dores que sofremos, as solidões que nos acometem, as experiências desapontadoras ou angustiantes, os vícios e as armadilhas de nossa vida são, cada qual, portas de entrada para a percepção. Cada qual nos oferece uma oportunidade de enxergar além da ilusão, e essa oportunidade serve ao equilíbrio e à evolução de nossa alma.

Em cada experiência de dor ou negatividade está a oportunidade de desafiar a percepção que está por trás dela, o medo que lhe é subjacente, e de optar por aprender com sabedoria. O medo não desaparecerá de pronto, mas se desintegrará na medida em que trabalharmos com coragem. Quando o medo deixa de nos aterrar, ele não pode permanecer. Quando optamos por aprender através da sabedoria, por evoluir conscientemente, nossos medos afloram um a um para que possamos exorcizá-los com a fé interior. É assim que acontece: exorcizamos nossos próprios demônios.

Nossos guias e Mestres nos oferecem Luz continuamente. Encorajam-nos a todo o momento a crescer e evoluir plenamente, porém não podem impedir-nos de aprender, crescer ou passar por nossas experiências e deixar que elas nos influenciem. Isso ocorre mesmo se formos capazes de nos comunicar com eles consciente e diretamente. Nossas experiências nos impelirão para a esquerda ou a direita, e faremos aos nossos Mestres esta ou aquela pergunta. Se formos para a esquerda, nossa pergunta será inteiramente diferente da que faríamos se fôssemos para a direita, e a realidade que abrimos com essa pergunta será inteiramente distinta.

Não existe um caminho ideal para a alma; existem numerosos caminhos ideais. Com cada escolha criamos imediatamente vários caminhos dentro de uma escolha, um dos quais vem a ser o caminho ideal. Em outras palavras, o caminho ideal da nossa alma é a escolha da consciência, o caminho vertical. Feita essa escolha, seguem-se as diversas formas de estatutos.

De que maneira nos serve, então, a orientação não-física?

É uma parceria que nos desafia a chegar a um acordo com a plena extensão, amplitude e profundidade do poder autêntico e da escolha responsável. Isso não quer dizer que permitamos ser manipulados sem discernimento – simplesmente permitimos que nos seja mostrada a plenitude de nosso poder, assim como a melhor maneira de usá-lo.

Quando dependemos inteiramente da capacidade de nossa personalidade para determinar o que é melhor para nós, podemos acabar ficando parados no caminho de uma riqueza que está à nossa espera. Como saber o que o Universo nos reserva se removermos nossas restrições? Se estamos determinados a expandir nossa vida de um modo particular, e não de outro – se empenhamos nosso coração em usar nossa atividade apenas para ganhar dinheiro, por exemplo – construímos toda a nossa realidade em torno disso. O Universo não pode ajudar-nos da maneira como poderia se confiássemos nele, porque não pode ofuscar nossa escolha nem penetrar nela. Mas, e se o que estamos fazendo deve ser encarado numa esfera social, e não numa esfera econômica? Em outras palavras, e se o empreendimento que tentamos levar adiante é, mais apropriadamente, um caminho para uma estrada que ainda não reconhecemos? Ele agora se acha estacionado porque não pode percorrer o caminho apropriado, porque insistimos em abrir uma porta que não conduzirá a parte alguma.

Você está percebendo?

Renunciar ao que se pensa é um justo prêmio. Renuncie. Confie. Crie. Seja quem você é. O resto fica a cargo de seus Mestres não-físicos e do Universo.

Tire as mãos do leme. Diga ao Universo: "Faça-se a tua vontade", e conheça-a em suas intenções. Demore-se nesse pensamento. Considere o que significa dizer "Faça-se a tua vontade" e confie sua vida inteiramente aos cuidados do Universo. A etapa final da obtenção do poder autêntico consiste em liberar seu próprio poder para uma forma de sabedoria superior.

Muito antes de, como espécie, nos tornarmos conscientes da existência de uma dimensão como o reino dos guias e Mestres não-físicos, cada ser humano era guiado, e à perfeição, por numerosos Mestres não-físicos. Embora não fosse percebida por nós, essa orientação se dava em plena perfeição e equilíbrio. O que está acontecendo agora é que, pela primeira vez, à medida que nos tornamos multissensoriais, estamos cônscios dessa orientação e podemos nomear os Mestres não-físicos e sentir um relacionamento pessoal com eles, embora ainda seja verdade que o que vivenciamos é sempre apropriado e sempre nos aproximará da maior sabedoria de nosso desenvolvimento e orientação.

Lembre-se de que você é assistido, de que não está sozinho

na Terra. Viva na companhia de seus Mestres e guias não-físicos. Não discrimine em termos do que pode e deve perguntar e falar. Viva simplesmente na beleza desse vínculo, e assuma-o. Não receie a dependência. Que mal existe em ser dependente do Universo, quer se trate dos seus Mestres ou da Inteligência Divina? Você faz o que faz para si próprio, e o Universo e seus Mestres e guias não-físicos estão aí para prestar-lhe assistência. Eles nunca o fazem por você. Tal coisa não lhes é possível. Deleita-se na dependência. Permita que seus guias e Mestres cheguem mais perto de você.

Quando pedir orientação e assistência, simplesmente suponha que ela imediatamente se derrama sobre você. Talvez precise trabalhar um pouco para tornar sua mente receptiva, ou almoçar, ou ir de carro até a cidade, ou fazer seja lá o que for para relaxar sua mente de modo a ouvir ou sentir, mas viva na total suposição de que, no momento em que pede orientação, ela se derrama sobre você.

Tente ver a vida como uma dinâmica maravilhosamente bem organizada. Confie no Universo. Confiar significa que a circunstância em que você se encontra está operando no sentido da sua melhor e mais apropriada finalidade. Não existe um *quando* para isso. Não existe um *se* para isso. É assim. Libere suas especificações e diga ao Universo: "Encontre-me onde você sabe que preciso estar." Libere-as, e confie em que o Universo proverá, e assim será. Libere-as, todas elas. Deixe que seu Eu superior complete a sua tarefa.

Permita-se orar. Assim como nas inúmeras vezes em que os seres humanos se vêem em circunstâncias nas quais a ferida ou a dor é tão grande que, por seu próprio poder, não podem perdoar, é suficiente orar para receber a graça, a percepção, a elevada Luz que lhes permitirá perdoar.

Sem a prece, é impossível você completar o ciclo no caminho da obtenção do poder. Não basta querer, tencionar ou meditar: é preciso orar; é preciso falar; é preciso pedir; é preciso crer. Isso é parceria.

Pense no que está fazendo ao entrar em parceria com a Inteligência Divina, parceria na qual você começa a partilhar suas preocupações com a compreensão de que existe uma Inteligência receptiva ao que está dizendo, que o ajuda a criar em seu próprio ambiente de matéria e energia a dinâmica mais eficaz para conduzi-lo à plenitude. Você não precisa pensar que está criando sozinho, mas que está sendo firmemente orientado para ajudar a criar conjuntamente, da forma mais efetiva para a sua cura e o cumprimento de seu pacto.

Considere suas intenções e meditações como parte do que é feito no contexto da prece. Esteja pronto a dizer, a partir dessas meditações e intenções: "E eu peço orientação ou ajuda", e pode esperar recebê-las. Conte com elas. Sem considerar seu próprio nível de escolha responsável de energia e a forma material que você lhe dá, o recurso à prece ajuda-o a atrair e invocar a graça. Orar é pôr-se em contato com a Inteligência Divina.

É impossível orar sem investir-se de poder. É impossível pensar às ocultas, visto que toda energia é ouvida. Ao orar, você atrai e invoca a graça. A graça é uma Luz consciente e impoluta. Ela é a Divindade. A prece traz a graça, e a graça nos acalma. Esse é o ciclo. A graça é o tranqüilizante da alma. Com a graça vem a convicção de que aquilo que vivemos é necessário. Ela nos acalma com um senso de conhecimento.

Agora relaxe. Faça agora mesmo o que precisa fazer. Não lhe cabe preocupar-se com o que chamamos de futuro, o que não quer dizer que não deva considerar as conseqüências de cada uma de suas escolhas. Levar em conta as conseqüências de uma decisão significa fazer uma escolha responsável; significa criar intensamente no momento atual. Não reduza o seu poder com os "se por acaso..." da vida: eles são ilimitados, infinitos. Mantenha o poder no agora, no tempo presente, no dia que está vivendo na Terra – e não no que vai fazer amanhã.

Utilize-se de todas as suas associações terrenas, mas não das que se originam do pânico ou do medo. Faça o que tem de fazer para alcançar o seu objetivo. Sua escolha dependerá da percepção da ocasião oportuna, de uma motivação clara e da confiança. Permita que sua intuição determine a ocasião oportuna. Apreenda-a, veja como se sente e avance. Saiba o que é apreender, passo a passo, a felicidade que brota da despreocupação com os resultados e que opera a partir de um coração revigorado.

Não suponha que o Universo age como age a humanidade, porque não é assim. Não teime em imaginar que o Universo esteja de acordo com a compreensão que você tem dele. Atenha-se, antes, à idéia de que nada há sem valor sobre a Terra, de que não se pode criar uma forma de Vida sem valor, sendo, pois, impossível criar uma ação sem valor. Talvez você não perceba isso, mas não importa. Saiba apenas que, quando chegar a hora, todas as peças se encaixarão e você verá com clareza.

A confiança lhe permitirá descobrir os seus pontos negativos, de modo a curá-los; permitir-lhe-á seguir os seus sentimentos, através de suas defesas, até a origem deles, e trazer à Luz da consciência os aspectos de seu ser que resistem à plenitude, que vivem imersos no medo. A jornada rumo ao poder autêntico exige que você se torne cônscio de todos os seus sentimentos. O despojamento e a cura de seus pontos negativos talvez lhe pareçam um processo interminável, mas não o são. Suas vulnerabilidades, fraquezas e medos não são diferentes dos de seus semelhantes. Não se desespere se sua humanidade se manifesta.

Sinta suas intenções em seu coração. Sinta, não o que a mente diz, mas o que diz o coração. Em vez de servir aos falsos deuses da mente, sirva ao coração, que é o Deus verdadeiro. Você não vai encontrar Deus no intelecto. A Inteligência Divina está no coração.

Abra-se para os seus semelhantes. Permita-se vivenciar o que sente em relação a eles e ouvir o que eles sentem. As interações com eles formam a base do seu crescimento. Quando você tem medo do que possa descobrir em seu íntimo ou nos outros ao se dispor a ouvir o que eles têm a dizer, está dando as costas às oportunidades que o Universo lhe oferece de descobrir o poder de seu coração, o poder da compaixão. Você só crescerá quando tiver a coragem de envolver-se em relacionamentos humanos.

Compaixão quer dizer compaixão mútua. O corpo físico é apaziguado e revigorado pela energia do coração e dilacerado pelas correntes de baixa freqüência da cólera, do ódio, do medo e da violência. Quando ameaça alguém e se afasta de seu próprio coração, você sofre tanto quanto o outro; mas, se o trata com compaixão, faz o mesmo a si próprio. À medida que sua consciência se expande e você se dá conta de seus sentimentos, você se torna cônscio do duplo efeito da compaixão e da falta de compaixão. Torna-se cônscio dos danos que inflige ao seu próprio corpo quando sente e age sem compaixão.

Desafie os seus medos. Temer o crescimento e a transformação interiores é o que o impele a querer escapar da situação presente e a buscar outra. Ao sentir que está desejando o que não tem, em lugar do que tem – achando o relvado do vizinho mais verde só porque é do vizinho – enfrente a situação. Enfrente-a toda vez que ela se apresentar, considerando que, quando isso acontece, você, literalmente, não se encontra no presente, ligado à energia dinâmica do presente, mas está deixando que a energia se escoe para um futuro inexistente.

Sempre que se sentir negativo, tome consciência de quem você é e remova essa condição. Investigue o que está sentindo e qual a origem desse sentimento. Busque-lhe a raiz no mesmo instante e, enquanto tenta extirpá-la, olhe para o lado positivo e lembre-se da verdade maior de que existe algo espiritualmente profundo em ação, de que a vida não é um acidente e de que você tem um pacto a cumprir.

Tenha sempre em mente as palavras que emprega e as ações que pratica, quem você é e o modo como usa o seu poder. Em outras palavras, ao dizer o que diz, ao assumir compromissos, ao dar forma ao poder de sua vida, lembre-se sempre de que você é aquilo que diz ser, de que coloca sua força naquilo que diz e a dirige nessa conformidade. Se não está cônscio de sua intenção, ou se suspeita estar agindo motivado por uma segunda intenção, pergúnte a si mesmo: "O que realmente está acontecendo?" Investigue suas motivações e obterá pronta orientação. Você não ficará sozinho em seu esforço.

A confiança lhe permite dar. O dar é abundante. Conforme você der, também lhe será dado. Se der com julgamento, limitação ou avareza, criará essas mesmas coisas em sua vida: julgamento, limitação e avareza. O que disser aos outros recairá exatamente sobre você. É a lei do carma: a maneira como você amar e servir aos outros recairá exatamente sobre você. Se irradiar amor e compaixão, recebê-los-á. Se irradiar medo, suspeita e vontade de manter as pessoas a distância, a negatividade se apossará de seu ser, pois é isso o que você estará pedindo.

A confiança enseja a experiência da bênção. Ao confiar em que o Universo está constantemente atendendo às necessidades da alma, em que a orientação e a assistência de seus guias e Mestres não-físicos se acham sempre disponíveis, você estará livre para desfrutar das interações com os outros e deixar de lado as pesadas freqüências da manipulação e da ação defensiva. O despertar é um estado abençoado, não doloroso. É abençoado. É plenamente equilibrado e maravilhosamente harmonioso. É todas estas coisas, e muito mais. O caminho vertical significa claridade, e não sofrimento.

A confiança lhe permite rir. Você pode tão facilmente rir e brincar enquanto cresce como tornar-se sisudo e preocupado.

Os parceiros espirituais vêem as coisas de uma perspectiva impessoal e ajudam-se reciprocamente a ver, dessa perspectiva, o significado de suas experiências. Podem rir da variedade e da beleza e da jovialidade do Universo. Eles se estimam mutuamente. Percebem as frustrações dos desejos da personalidade pelo que elas são para a alma: aprendizados, às vezes grandes aprendizados.

Tudo o que você faz a cada dia cria o que é apropriado e perfeito. Aplique a consciência a esse processo. Isso é confiança. Embora tudo o que você encontra e faz a cada momento seja apropriado e perfeito para a evolução de sua alma, a forma das experiências de sua vida é determinada, não obstante, pelas escolhas que você faz. É você quem escolhe remoer ressentimentos, consumir-se de cólera, magoar-se ou liberar estas correntes de energia de baixa freqüência. Qualquer que seja a sua escolha, habitar na negatividade ou instalar-se em seu coração, ela servirá perfeitamente para a evolução de sua alma. Todos os caminhos conduzem ao lar.

Se escolher o ódio, ou a mágoa, ou o ressentimento, ou o ciúme, você aprenderá a lição do amor, mas irá aprendê-la por meio do sofrimento, do trauma e da sensação de perda. Não deixará de evoluir – isso é impossível. Você está em busca do poder autêntico e não poderá renunciar a essa busca. Sua única escolha é se deseja realizar a busca consciente ou inconscientemente. Podemos escolher, através de nossas respostas às dificuldades da vida, envolver-nos com o pleno poder de nossa alma. Eis aí o caminho consciente para a aquisição do poder autêntico.

Se, por fim, você vai evoluir para além da escola terrestre, para além da necessidade de uma personalidade, de um corpo e da ilusão que confere vida aparente ao medo, à cólera e à insegurança, porque haverá de escolher o caminho vertical?

Cabe a você decidir. A senda que você agora palmilha não é desconhecida do Universo. Os sofrimentos, as mágoas e as violências que você vive podem ser considerados marcos ao longo do caminho escolhido. Se você escolheu, por exemplo, o caminho do aprendizado por meio do ciúme, sentirá ansiedade e medo de perder o objeto sem o qual imagina não poder viver – porque tais experiências fazem parte do caminho do aprendizado por meio do ciúme. Podem ser vistas como inerentes à estrada entre o quilômetro 20 e o quilômetro 30. Se escolher o caminho do aprendizado por meio da cólera, você topará com rejeição e violência; se escolher o caminho do amor, sentir-se-á amado pelos outros, e assim por diante, porquanto a escolha de um dado caminho é também a escolha de um dado tipo de experiência. Do ponto de vista do Universo, o que você faz não é nenhuma novidade.

Prosseguir na busca do poder exterior, que já não leva a parte alguma, ou resolver-se a construir dentro de si o poder autêntico, alinhando-se com o caminho evolutivo que a nossa espécie está trilhando: sua escolha determinará as experiências com que você contribuirá para a evolução de sua alma e da alma da humanidade. Seja o que for que você escolher, contribuirá adequada e perfeitamente, para a sua evolução e para a evolução dos outros. Esta é a verdade. Mas por que decidir aprender inconscientemente? Será que você alcançou, neste caminho, o sentimento de segurança, contentamento e plenitude que está buscando?

O que é que você deseja dar e experimentar, como espécie e como indivíduo, opera a transição evolutiva entre a percepção pentassensorial do Universo e a percepção multissensorial; entre a evolução através da exploração pentassensorial da realidade física e a evolução através da escolha responsável, com a orientação e a assistência dos guias e Mestres não-físicos? Estará você satisfeito com a idéia de que o Universo é algo estranho, morto, limitado ao que os seus cinco sentidos podem captar? Como responde o seu coração ao pensamento de que o Universo é vivo, compassivo, e de que, com ele e com outras almas de imenso poder e Luz, você apreende, mediante um processo de co-criação, a realidade que o seu ser vivencia?

Considere os prováveis futuros reservados ao nosso mundo, construído com a energia da personalidade; considere os prováveis futuros reservados a um mundo edificado com a energia da alma. Qual é a sua escolha?

Torne-se cônscio de seus sentimentos. Permita-se escolher o comportamento mais positivo a cada momento. Ao descarregar conscientemente a energia negativa e conformar suas intenções aos ditames do coração, ao desafiar e banir os receios, optando pela cura, você harmoniza a sua personalidade com o seu coração e avança para tornar-se um ser de Luz, pleno, poderoso e intimamente seguro. Humildade, perdão, clareza e amor – todas as dádivas do espírito se enraízam e florescem; e você atrai para si a maior de todas as dádivas do Universo: seres humanos de coração aberto.

Em vez de ser uma alma num corpo, seja um corpo numa alma. Vá até onde está a sua alma. Vá mais longe ainda. O impulso da criação e do poder autêntico – o ponto da ampulheta entre a energia e a matéria: essa é a morada da alma. O que significa chegar a esse lugar?

É emocionante entrar numa nova era espiritual.

O TAO DA FÍSICA

Um Paralelo Entre a Física Moderna e o Misticismo Oriental

Fritjof Capra

Este livro analisa as semelhanças — notadas recentemente, mas ainda não discutidas em toda a sua profundidade — entre os conceitos subjacentes à física moderna e as idéias básicas do misticismo oriental. Com base em gráficos e em fotografias, o autor explica de maneira concisa as teorias da física atômica e subatômica, a teoria da relatividade e a astrofísica, de modo a incluir as mais recentes pesquisas, e relata a visão de um mundo que emerge dessas teorias para as tradições místicas do Hinduísmo, do Budismo, do Taoísmo, do Zen e do I Ching.

O autor, que é pesquisador e conferencista experiente, tem o dom notável de explicar os conceitos da física em linguagem acessível aos leigos. Ele transporta o leitor, numa viagem fascinante, ao mundo dos átomos e de seus componentes, obrigando-o quase a se interessar pelo que está lendo. De seu texto, surge o quadro do mundo material não como uma máquina composta de uma infinidade de objetos, mas como um todo harmonioso e "orgânico", cujas partes são determinadas pelas suas correlações. O universo físico moderno, bem como a mística oriental, estão envolvidos numa contínua dança cósmica, formando um sistema de componentes inseparáveis, correlacionados e em constante movimento, do qual o observador é parte integrante. Tal sistema reflete a realidade do mundo da percepção sensorial, que envolve espaços de dimensões mais elevadas e transcende a linguagem corrente e o raciocínio lógico.

Desde que obteve seu doutorado em física, na Universidade de Viena, em 1966, Fritjof Capra vem realizando pesquisas teóricas sobre física de alta energia em várias Universidades, como as de Paris, Califórnia, Santa Cruz, Stanford, e no Imperial College, de Londres. Além de seus escritos sobre pesquisa técnica, escreveu vários artigos sobre as relações da física moderna com o misticismo oriental e realizou inúmeras palestras sobre o assunto, na Inglaterra e nos Estados Unidos. Atualmente, leciona na Universidade da Califórnia, em Berkeley.

A presente edição vem acrescida de um novo capítulo do autor sobre a física subatômica, em reforço às idéias por ele defendidas neste livro.

EDITORA CULTRIX

OS CHAKRAS
e os
Campos de Energia Humanos

SHAFICA KARAGULLA, M.D.
DORA VAN GELDER KUNZ

Este livro fascinante assinala uma grande conquista na área da medicina e baseia-se na pesquisa de uma médica que, obedecendo à metodologia científica, trabalhou com uma clarividente para a obtenção de seus diagnósticos. Cada uma de suas conclusões tem como fundamento uma prova experimental tirada do perfil de pacientes nos quais o processo da doença se manifestou por meio de anomalias no campo energético humano e em seus correspondentes centros de força, os chakras.

Antes de começar a colaborar com a dra. Shafica Karagulla, a clarividente Dora van Gelder já havia examinado pacientes a pedido de seus médicos. Ela vê o corpo humano expressando-se através de um tríplice mecanismo: um campo etérico, ou de energia vital; um campo astral, ou de energia emocional; e um campo mental. Ela recebe uma constante interação entre esses campos de energia e os campos de energia do universo.

A chave para a compreensão da saúde e da doença repousa na natureza dinâmica da interação entre ambas, uma vez que a vida sempre se caracteriza por crescimento e transformação. Essa transformação pode nos levar ao negativismo, afetando nossa saúde e provocando doenças; mas podemos alterar esse padrão, substituindo-o pela auto-integração, pela saúde e pelo auto-aperfeiçoamento.

* * *

Dora van Gelder Kunz nasceu com excepcionais faculdades de clarividência que foram treinadas durante sua colaboração com outro clarividente célebre, C. W. Leadbeater, autor de *Os Chakras*. Essa sua capacidade de perceber o mundo oculto resultou em dois livros – *O Natal dos Anjos* e *O Mundo Real das Fadas*, este último publicado pela Editora Pensamento. A co-autora, Shafica Karagulla, médica e neuropsiquiatra, colaborou com Dora Kunz em várias de suas pesquisas.

EDITORA PENSAMENTO

REENCONTRO COM A ALMA

Uma Investigação Científica e Espiritual

Larry Dossey, M.D.

Neste seu último livro, sério e instigante, Larry Dossey nos dá uma visão alternativa da consciência humana – uma teoria da mente e do ser, independentes da matéria, do tempo e do espaço. Ilustrado com pensamentos de Lao Tsé e de Jung, de Meister Eckhart e de Rilke, e com textos tão antigos quanto os Upanishades, *Reencontro com a alma* entrelaça o conhecimento do Ocidente com o do Oriente, numa rica tapeçaria de grande profundidade intelectual e força espiritual. Trata-se, sem dúvida, de uma investigação profunda da ligação entre misticismo e cura, entre religião e física, que nos ajuda a entender a nossa realidade interior – um livro que, triunfante, afirma a nossa inter-relação com o Universo.

Sendo médico, o autor já presenciou em seus pacientes curas miraculosas que não podem ser explicadas pela ciência convencional. As idéias de eminentes cientistas como Schrödinger, Margenau, Einstein, Gödel, David Bohm e Sheldrake são combinadas à sabedoria tradicional de visionários e místicos para apresentar evidências convincentes de uma concepção não-localizada e holística da mente e da realidade. Em resumo, Larry Dossey nos fornece neste livro novas provas da existência da alma.

Larry Dossey é especialista em medicina psicossomática na Dallas Diagnostic Association e ex-chefe de equipe da Medical City Dallas Hospital. Também já dirigiu o Isthmus Institute em Dallas, uma organização que investiga a convergência entre ciência e religião. Tem dois livros já publicados — *Space, Time & Medicine* e *Beyond Illness*.

EDITORA CULTRIX

Outras obras de interesse:

MEDITANDO COM OS ANJOS
Texto *Sonia Café* e Ilustrações
Neide Innecco

NAS HORAS DE MEDITAÇÃO
F. J. Alexander

ALMA E CORAÇÃO
Francisco C. Xavier

LIBERTANDO O CORAÇÃO – Espiritualidade e Psicologia Junguiana
Lawrence W. Jaffe

REFLEXOS DA ALMA
Marie-Louise von Franz

REENCONTRO COM A ALMA – Uma Investigação Científica e Espiritual
Larry Dossey

UNINDO O CÉU E A TERRA
Sukie Colegrave

A ESPIRITUALIDADE DO CORPO
Alexander Lowen

A JORNADA MÍTICA DE CADA UM
Sam Keen e *Anne Valley-Fox*

A FILOSOFIA PERENE
Aldous Huxley

A ENERGIA ESPIRITUAL E SEU PODER DE CURA
Dudley Blades

A PRECE DE TODAS AS COISAS
Pierre Charles, S. J.

A CRISE ESPIRITUAL DO HOMEM
Paul Brunton

JESUS – ENSINAMENTOS ESSENCIAIS
Anthony Duncan

BUDA E JESUS
Carrin Dunne

A DRAMÁTICA HISTÓRIA DA FÉ CRISTÃ
J. J. Van Der Leeuw

DICIONÁRIO DAS RELIGIÕES
John R. Hinnells (org.)

OS ESSÊNIOS
Christian D. Ginsburg

Peça catálogo gratuito à
EDITORA CULTRIX
Rua Dr. Mário Vicente, 374 – Fone: 272-1399
04270-000 – São Paulo. SP